개념 x 연산은
연산 집중 연습을 통해
개념을 완성시키는
솔루션입니다.

> **연구진**

이동환_ 부산교육대학교 교수
이상욱_ 풍산자수학연구소 책임연구원

> **집필진**

강연주_ 상도 뉴스터디, 풍산자수학연구소 연구위원
김규상_ 광명 더옳은수학, 풍산자수학연구소 연구위원
김명중_ 상도 뉴스터디, 풍산자수학연구소 연구위원
설성환_ 광명 더옳은수학, 풍산자수학연구소 연구위원
이지은_ 부산 하이매쓰, 풍산자수학연구소 연구위원
윤형은_ 상도 뉴스터디, 풍산자수학연구소 연구위원

교과서 속 **연산**을 빠르게!

풍산자
개념 × 연산

초등 수학 **5-1**

구성과 특징

개념 이해

① 이미 배운 내용으로 앞으로 배울 내용을 자연스럽게 연계한 개념학습으로 읽으면서 이해할 수 있도록 개념을 설명했어요.

② 읽으면서 이해한 개념을 풍산자만의 비법으로 한눈에 정리할 수 있도록 하였습니다.

3단계 문제 해결

1단계 예제 따라 풀어보는 연산

개념과 관련된 대표 연산 문제를 풀어보며 배운 개념을 문제에 적용해요.

2단계 스스로 풀어보는 연산

이제는 스스로 문제를 풀어볼까요?
개념을 잘 익혔는지 확인해 봅시다.

초등 풍산자 개념×연산의 포인트

1 읽으면서 이해되는 개념
이미 학습한 개념을 바탕으로 앞으로 배울 개념을 자연스럽게 배웁니다.

2 꼭 필요한 핵심 개념 수록
교과서 단원을 재구성한 핵심 개념으로 수학을 가장 빠르고 쉽게 익힙니다.

3 학습에 가장 효율적인 3단계 문제
연산의 3단계 문제 구성으로 수학 실력이 단계적으로 상승합니다.

3단계 응용 연산

응용 연산 문제까지 풀어보며 개념을 완벽하게 완성해요.

+

특별한 단계

단원별로 배운 내용을 모두 이용해서 재미있는 연산 문제를 해결해 보세요.

차례

1 ::: 자연수의 혼합 계산

01. 덧셈과 뺄셈이 섞여 있는 식 ... 6쪽
02. 곱셈과 나눗셈이 섞여 있는 식 ... 10쪽
03. 덧셈, 뺄셈, 곱셈, 나눗셈이 섞여 있는 식 ... 14쪽

2 ::: 약수와 배수

04. 약수, 배수 ... 20쪽
05. 공약수와 최대공약수 ... 24쪽
06. 공배수와 최소공배수 ... 28쪽

3 ::: 규칙과 대응

07. 두 양 사이의 관계 ... 34쪽
08. 대응 관계를 식으로 나타내기 ... 38쪽

4 ::: 약분과 통분

09. 크기가 같은 분수 ... 44쪽
10. 약분, 통분 ... 48쪽
11. 분수와 소수의 크기 비교 ... 52쪽

5 ::: 분수의 덧셈과 뺄셈

12. 분수의 덧셈 (1) ... 58쪽
13. 분수의 덧셈 (2) ... 62쪽
14. 분수의 뺄셈 (1) ... 66쪽
15. 분수의 뺄셈 (2) ... 70쪽

6 ::: 다각형의 둘레와 넓이

16. 다각형의 둘레 ... 76쪽
17. 넓이의 단위 ... 80쪽
18. 직사각형의 넓이 ... 84쪽
19. 평행사변형과 삼각형의 넓이 ... 88쪽
20. 마름모와 사다리꼴의 넓이 ... 92쪽

1
자연수의 혼합 계산

공부할 내용	공부한 날
01 덧셈과 뺄셈이 섞여 있는 식	월 일
02 곱셈과 나눗셈이 섞여 있는 식	월 일
03 덧셈, 뺄셈, 곱셈, 나눗셈이 섞여 있는 식	월 일

01 덧셈과 뺄셈이 섞여 있는 식

우리는 [수학 2-1] 3단원 덧셈과 뺄셈에서 세 수의 계산인 $38+19-14$, $34-12+8$을 계산하는 방법을 알아보았습니다.

이런 계산은 다음과 같이 앞에서부터 차례대로 계산하였습니다.

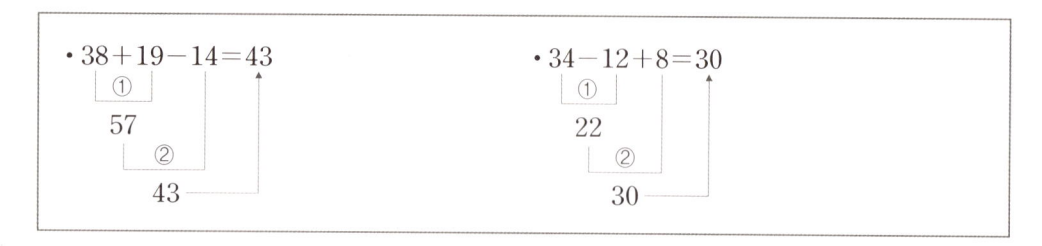

$$\cdot\ 38+19-14=43$$
$$\cdot\ 34-12+8=30$$

그렇다면 $26+4-17$, $18-(7+4)$와 같이 덧셈과 뺄셈이 섞여 있거나 ( )가 있는 식은 어떻게 계산할까요?

덧셈과 뺄셈이 섞여 있는 계산은 위와 같은 방법으로 앞에서부터 차례대로 계산할 수 있고, ( )가 있는 식의 계산은 ( ) 안을 먼저 계산하여 다음과 같이 계산할 수 있습니다.

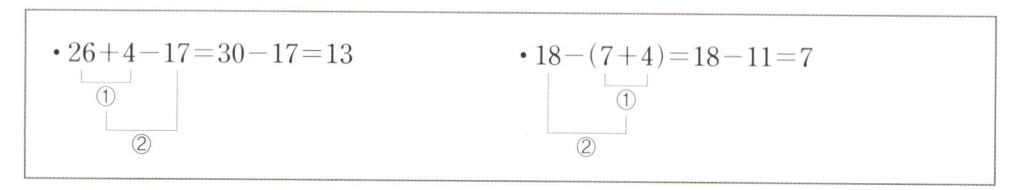

$$\cdot\ 26+4-17=30-17=13$$
$$\cdot\ 18-(7+4)=18-11=7$$

즉, **덧셈과 뺄셈이 섞여 있는 식은 앞에서부터 차례대로 계산하고, ( )가 있는 식은 ( ) 안을 먼저 계산합니다.**

> 소괄호 ( )와 중괄호 { }가 섞여 있는 식
> ⇨ ( )를 먼저 계산한 후 { }를 계산

풍산자 비법

❶ ( )가 없는 덧셈과 뺄셈이 섞여 있는 식의 계산

●−▲+★

앞에서부터 차례대로 계산한다.

❷ ( )가 있는 덧셈과 뺄셈이 섞여 있는 식의 계산

●−(▲+★)

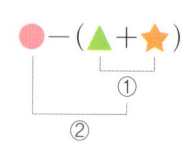

( ) 안을 먼저 계산한다.

예제 따라 풀어보는 연산

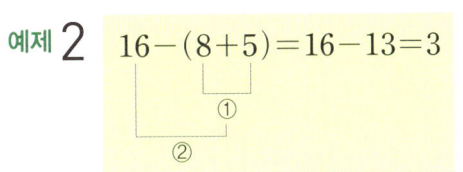

예제 1   17−4+5=13+5=18

01 13+4−6=

02 22+11−8=

03 22−10+3=

04 19−3+11=

05 37−18+12=

06 52−27+21=

예제 2   16−(8+5)=16−13=3

07 (5+9)−11=

08 3+(36−21)=

09 31+(13−7)=

10 (42−19)+10=

11 (25+5)−16=

12 26−(7+11)=

스스로 풀어보는 연산

13 $213+17-59=$

14 $38+90-25=$

15 $525-30+15=$

16 $410-28+31=$

17 $99+10-50=$

18 $604-26+62=$

19 $45-14+23+10=$

20 $100-52-29-8=$

21 $(35+10)-23+9=$

22 $37-(51-26)-7=$

23 $418+(520-19)-305=$

24 $26+17+(60-14)=$

25 $(20+5)-(8+6)=$

26 $(220-19)+(55-48)=$

응용 연산

[27-28] □ 안에 알맞은 수를 써넣으시오.

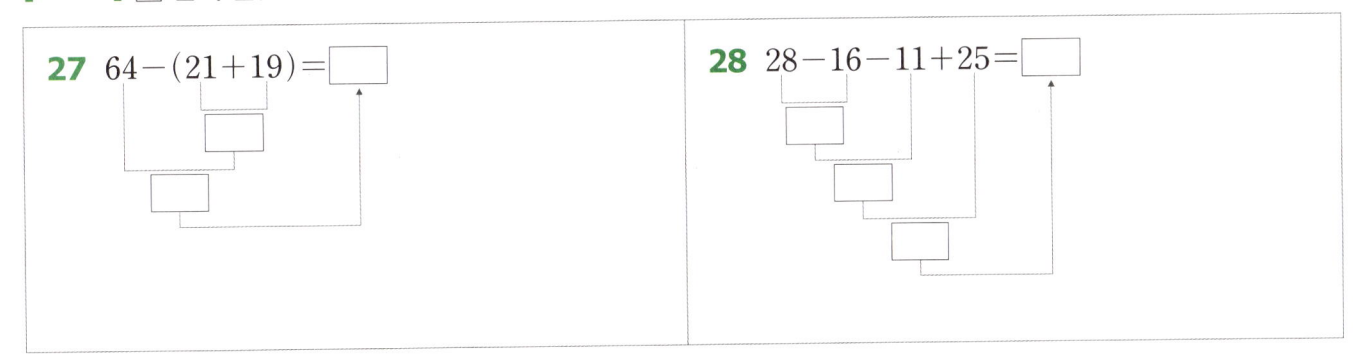

27 $64-(21+19)=\boxed{}$

28 $28-16-11+25=\boxed{}$

[29-30] 계산 순서를 나타내고, 계산하시오.

29 $36+15+8=$

30 $14+(42-38)=$

[31-32] 바르게 계산한 값을 찾아 선으로 이어 보시오.

31
- $78-(33+10)$ •   • 35
- $(78-33)+10$ •   • 55

32
- $(43-25)-(11+4)$ •   • 33
- $43-(25-11)+4$ •   • 3

[33-34] 계산 결과를 비교하여 ○ 안에 >, =, <를 알맞게 써넣으시오.

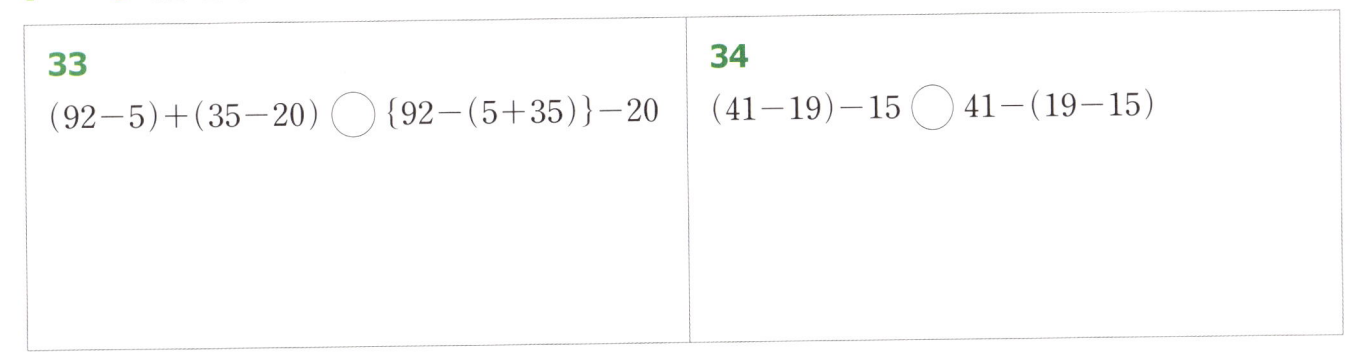

33 $(92-5)+(35-20)\ \bigcirc\ \{92-(5+35)\}-20$

34 $(41-19)-15\ \bigcirc\ 41-(19-15)$

02 곱셈과 나눗셈이 섞여 있는 식

우리는 앞 단원에서 덧셈과 뺄셈이 섞여 있거나 ( )가 있는 계산인 17+9-5, 21-(9+3)을 계산하는 방법을 알아보았습니다.

이런 계산은 앞에서부터 차례대로 계산하거나 ( )가 있는 식의 계산은 ( ) 안을 먼저 계산하여 다음과 같이 계산하였습니다.

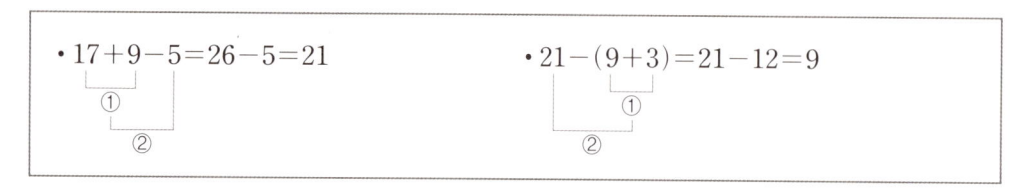

- $17+9-5=26-5=21$
- $21-(9+3)=21-12=9$

그렇다면 $32÷8×2$, $28÷(7×2)$와 같이 곱셈과 나눗셈이 섞여 있거나 ( )가 있는 식은 어떻게 계산할까요?

곱셈과 나눗셈이 섞여 있는 계산은 덧셈과 뺄셈이 섞여 있는 식의 계산과 같은 방법으로 앞에서부터 차례대로 계산할 수 있고, ( )가 있는 식의 계산은 ( ) 안을 먼저 계산하여 다음과 같이 계산할 수 있습니다.

- $32÷8×2=4×2=8$
- $28÷(7×2)=28÷14=2$

즉, ==곱셈과 나눗셈이 섞여 있는 식은 앞에서부터 차례대로 계산하고, ( )가 있는 식은 ( ) 안을 먼저 계산==합니다.

$(36÷9)×(12÷4)$와 같이 괄호가 두 개 이상 있는 경우
⇨ 괄호 안을 먼저 계산한 후 앞에서부터 차례대로 계산

풍산자 비법

❶ ( )가 없는 곱셈과 나눗셈이 섞여 있는 식의 계산

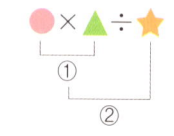

● × ▲ ÷ ★

앞에서부터 차례대로 계산한다.

❷ ( )가 있는 곱셈과 나눗셈이 섞여 있는 식의 계산

● × (▲ ÷ ★)

( ) 안을 먼저 계산한다.

예제 따라 풀어보는 연산

예제 1 $64 \div 16 \times 5 = 4 \times 5 = 20$

01 $24 \div 4 \div 3 =$

02 $11 \times 4 \times 3 =$

03 $18 \div 2 \times 8 =$

04 $12 \times 5 \div 6 =$

05 $7 \times 9 \div 3 =$

06 $80 \div 4 \times 2 =$

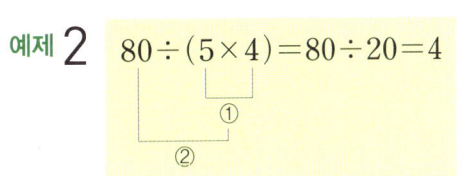

예제 2 $80 \div (5 \times 4) = 80 \div 20 = 4$

07 $(10 \times 9) \div 2 =$

08 $60 \div (4 \times 5) =$

09 $5 \times (24 \div 6) =$

10 $(12 \times 3) \div 9 =$

11 $(70 \div 7) \times 3 =$

12 $9 \times (36 \div 4) =$

스스로 풀어보는 연산

13 $7 \times 8 \times 9 =$

14 $92 \div 23 \div 4 =$

15 $12 \times 25 \div 20 =$

16 $51 \div 17 \times 8 =$

17 $13 \times (15 \div 5) =$

18 $360 \div (18 \times 2) =$

19 $9 \times 16 \div 4 =$

20 $8 \times (20 \div 4) =$

21 $10 \times 7 \div 2 \div 5 =$

22 $100 \div 25 \times 9 \div 6 =$

23 $15 \times 3 \times 6 \times 2 =$

24 $72 \div 2 \div 6 \div 3 =$

25 $(4 \times 9) \div (2 \times 3) =$

26 $(81 \div 3) \times (30 \div 15) =$

응용 연산

[27-28] □ 안에 알맞은 수를 써넣으시오.

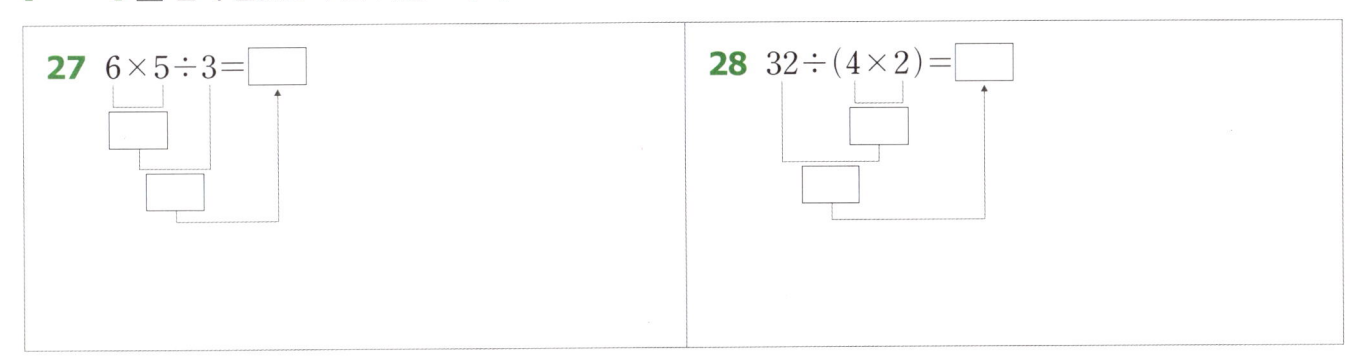

27 $6 \times 5 \div 3 = \boxed{}$

28 $32 \div (4 \times 2) = \boxed{}$

[29-30] 계산 순서를 나타내고, 계산하시오.

29 $72 \div 4 \times 10 =$

30 $21 \times (26 \div 13) =$

[31-32] 바르게 계산한 값을 찾아 선으로 이어 보시오.

31

$(12 \div 4) \times 3$ •   • 9

$12 \div (4 \times 3)$ •   • 1

32

$(72 \div 4) \times (6 \div 3)$ •   • 1

$72 \div (4 \times 6) \div 3$ •   • 36

[33-34] 계산 결과를 비교하여 ○ 안에 >, =, <를 알맞게 써넣으시오.

33 $7 \times 6 \div 2 \bigcirc 7 \times (6 \div 2)$

34 $(48 \div 6) \times 2 \bigcirc 48 \div (6 \times 2)$

03 덧셈, 뺄셈, 곱셈, 나눗셈이 섞여 있는 식

우리는 앞 단원에서 덧셈과 뺄셈 또는 곱셈과 나눗셈이 섞여 있고 ( )가 있는 계산인 $18-(7+3)$, $56÷(4×2)$와 같은 식을 계산하는 방법을 알아보았습니다. 이런 계산은 ( ) 안을 먼저 계산하고 앞에서부터 차례대로 계산하여 다음과 같이 계산하였습니다.

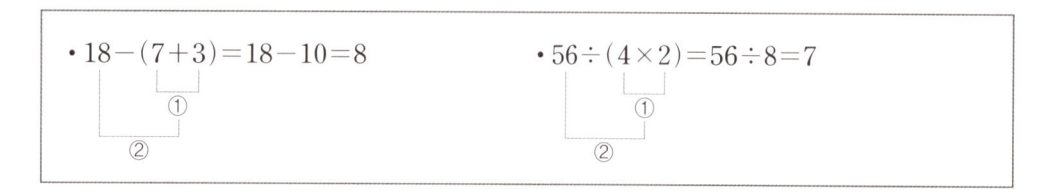

- $18-(7+3)=18-10=8$
- $56÷(4×2)=56÷8=7$

그렇다면 $93÷3-(6+5)×2$와 같이 덧셈, 뺄셈, 곱셈, 나눗셈이 섞여 있는 식은 어떻게 계산할까요?

덧셈, 뺄셈, 곱셈, 나눗셈이 섞여 있는 식은 곱셈과 나눗셈을 먼저 계산하고, ( )가 있으면 ( ) 안을 가장 먼저 계산하여 다음과 같이 계산할 수 있습니다.

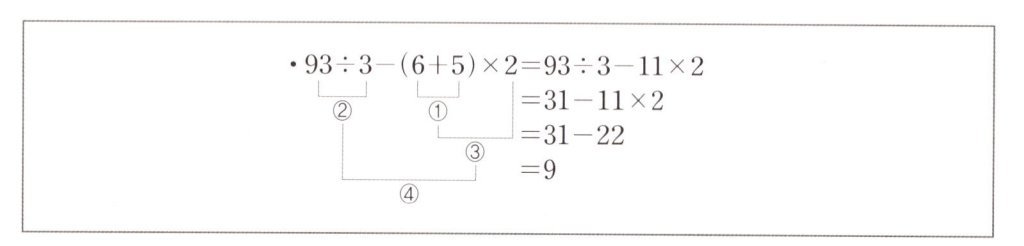

$$93÷3-(6+5)×2 = 93÷3-11×2$$
$$= 31-11×2$$
$$= 31-22$$
$$= 9$$

즉, ==덧셈, 뺄셈, 곱셈, 나눗셈, ( )가 섞여 있는 식은 ( ) 안을 먼저 계산하고 곱셈과 나눗셈, 덧셈과 뺄셈 순서로 계산==합니다.

( )가 있는 덧셈, 뺄셈, 곱셈, 나눗셈이 섞여 있는 식의 계산 순서

( ) 안을 먼저 계산한다.
▼
곱셈과 나눗셈을 앞에서부터 차례대로 계산한다.
▼
덧셈과 뺄셈을 앞에서부터 차례대로 계산한다.

풍산자 비법

❶ ( )가 없는 덧셈, 뺄셈, 곱셈, 나눗셈이 섞여 있는 식의 계산

●×▲＋■÷★－♣

곱셈과 나눗셈을 먼저 계산한다.

❷ ( )가 있는 덧셈, 뺄셈, 곱셈, 나눗셈이 섞여 있는 식의 계산

●×(▲＋■)－★÷♣

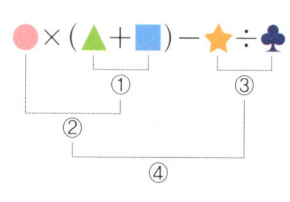

( ) 안을 먼저 계산한다.

예제 따라 풀어보는 연산

예제 1

$$25-54\div 6+3\times 7 = 25-9+3\times 7$$
$$=25-9+21$$
$$=16+21$$
$$=37$$

01 $4\times 11-19+64\div 8=$

02 $10+81\div 27-4\times 2=$

03 $12+84\div 7-4\times 4=$

04 $96-81\div 3\times 2=$

05 $5\times 6\div 2+21=$

06 $24-12\div 2\times 3+17=$

예제 2

$$4\times\{(20+4)\div 3+15\} = 4\times(24\div 3+15)$$
$$=4\times(8+15)$$
$$=4\times 23$$
$$=92$$

07 $35+6\times(7+4)=$

08 $(40-36)\div 4\times(15-7)=$

09 $\{12\div(9-5)+7\}\times 9=$

10 $50-\{(56-6)\div 2+18\}=$

11 $27+\{(9-4)\times(10\times 2)\}=$

12 $\{(13+14)\div 3-4\}\times 2=$

1. 자연수의 혼합 계산

스스로 풀어보는 연산

13 $19+(38-14)\div 6=$

14 $20-3\times(22+6)\div 7=$

15 $4\times 6-48\div 8-8=$

16 $10+25\div 5\times 8-39=$

17 $38\div 2\times 3-11+7=$

18 $24-6\times 2+15\div 3=$

19 $25+(110-11)\div 3=$

20 $2+15\times 4-34\div 2=$

21 $10\times\{13-(63\div 7)\}=$

22 $88\div\{79-(43-24)\times 3\}=$

23 $79-\{4+(5-1)\times 6\}=$

24 $\{91-7\times(4+3)\}\div 6=$

25 $5\times\{(22-16)\div 3+12\}=$

26 $4\times 7+64\div 8-18=$

응용 연산

[27-28] 먼저 계산해야하는 부분을 찾고, 식을 계산하시오.

27 $21+14÷7-5-3=$

28 $10+\{7×(24-16÷8)+6\}÷4=$

[29-30] 계산 순서를 나타내고, 계산하시오.

29 $\{9×5-(8+3)\}÷2=$

30 $75÷\{39-(23-16)×2\}=$

[31-32] 계산 결과를 비교하여 ○ 안에 >, =, <를 알맞게 써넣으시오.

31 $(8×6)÷3-(4+7)$ ○ $8×(6÷3)-4+7$

32 $45÷5+4×6$ ○ $45÷(5+4)×6$

[33-34] 식이 성립하도록 □ 안에 알맞은 수를 써넣으시오.

33 $\{33-(20+4)÷\Box\}×2=60$

34 $80-\{63÷(\Box-2)×5\}=45$

재미있게, 우리 연산하자!

지금까지 우리는 <u>자연수의 혼합 계산</u>을 배웠습니다.
힘들었을 텐데, 잘 풀었어요!

자, 그럼 마지막으로 지금까지 배운 자연수의 계산을 모두 이용해서 사다리타기 게임을 해 볼까요?
㉠, ㉡, ㉢, ㉣에 알맞은 수를 구해보세요.
ready~ start!

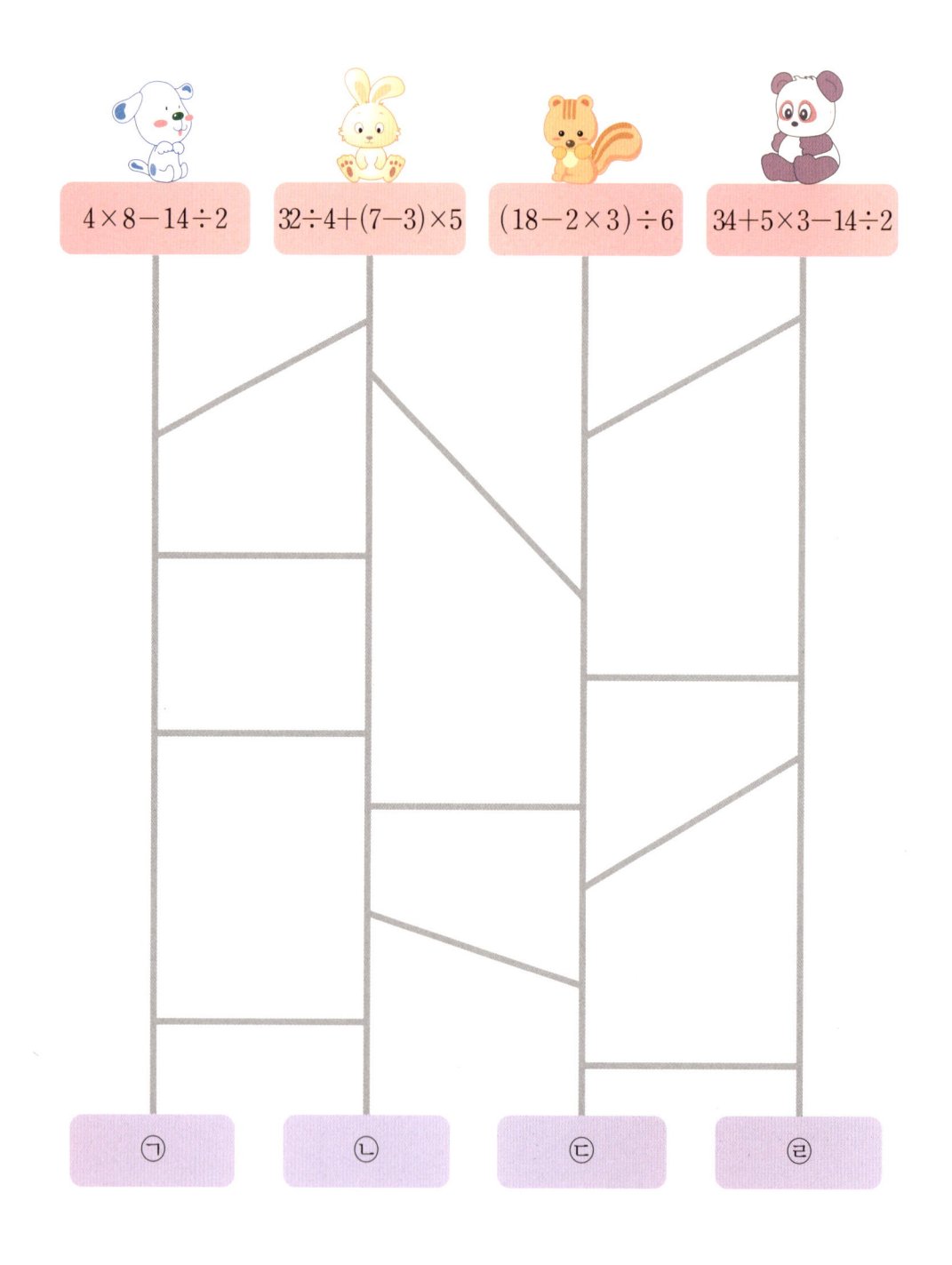

$4 \times 8 - 14 \div 2$

$32 \div 4 + (7-3) \times 5$

$(18 - 2 \times 3) \div 6$

$34 + 5 \times 3 - 14 \div 2$

㉠ ㉡ ㉢ ㉣

2
약수와 배수

공부할 내용	공부한 날
04 약수, 배수	월 일
05 공약수와 최대공약수	월 일
06 공배수와 최대공배수	월 일

04 약수, 배수

우리는 [수학 3-1] 3단원 나눗셈에서 곱셈과 나눗셈의 관계를 알아보았습니다.
예를 들어, 바둑돌 15개를 곱셈식과 나눗셈식으로 나타내면 다음과 같습니다.

> 곱셈식으로 나타내면
> $5 \times 3 = 15$, $3 \times 5 = 15$
> 곱셈식을 나눗셈식으로 나타내면
> $15 \div 5 = 3$, $15 \div 3 = 5$

이때 어떤 수를 나누어떨어지게 하는 수를 그 수의 **약수**라고 합니다. 예를 들어, 15를 나누어떨어지게 하는 수를 15의 약수라고 하며 1, 3, 5, 15는 15의 약수입니다.
또한, 어떤 수를 1배, 2배, 3배……한 수를 그 수의 **배수**라고 합니다. 예를 들어, 3을 1배, 2배, 3배……한 수를 3의 배수라고 하며 3, 6, 9……는 3의 배수입니다.

모든 수는 1로 나누어떨어진다
⇨ 1은 모든 수의 약수

2의 배수는 2, 4, 6, 8……
3의 배수는 3, 6, 9, 12……
⇨ 어떤 수의 배수에는 자기 자신이 항상 포함

그렇다면 약수와 배수는 어떤 관계가 있을까요?
곱을 이용하여 약수와 배수의 관계를 알아보면 다음과 같습니다.

> 15를 두 수의 곱으로 나타내면 $15 = 1 \times 15$, $15 = 3 \times 5$이므로
> 15는 1, 3, 5, 15의 배수이고, 1, 3, 5, 15는 15의 약수입니다.

즉, 어떤 두 수의 곱이 다른 수가 될 때, 어떤 두 수는 다른 수의 약수이고 다른 수는 어떤 두 수의 배수가 된다는 것을 알 수 있습니다.

큰 수를 작은 수로 나누었을 때 나누어떨어진다
⇨ 두 수는 약수와 배수의 관계

풍산자 비법

■ × ▲ = ★ ⇨ ■와 ▲는 ★의 약수
★은 ■와 ▲의 배수

예제 따라 풀어보는 연산

예제 1 4=1×4, 4=2×2이므로
4의 **약수** ⇨ 1, 2, 4

01 6의 약수 ⇨

02 8의 약수 ⇨

03 15의 약수 ⇨

04 36의 약수 ⇨

예제 2 3×1=3, 3×2=6, 3×3=9······이므로
3의 **배수** ⇨ 3, 6, 9, 12······

05 5의 배수 ⇨

06 8의 배수 ⇨

07 11의 배수 ⇨

08 14의 배수 ⇨

예제 3 4의 **약수** ⇨ 1, 2, 4
4의 **배수** ⇨ 4, 8, 12······

09 9의 약수 ⇨
9의 배수 ⇨

10 12의 약수 ⇨
12의 배수 ⇨

11 16의 약수 ⇨
16의 배수 ⇨

12 21의 약수 ⇨
21의 배수 ⇨

스스로 풀어보는 연산

13 7의 약수 ⇨

14 6의 배수 ⇨

15 10의 약수 ⇨

16 13의 배수 ⇨

17 28의 약수 ⇨

18 17의 배수 ⇨

19 42의 약수 ⇨

20 20의 배수 ⇨

21 36의 약수 ⇨

22 7의 배수 ⇨

23 22의 약수 ⇨

24 15의 배수 ⇨

25 35의 약수 ⇨

26 50의 배수 ⇨

응용 연산

[27-28] 여러 수의 곱으로 나타내어 약수를 구하시오.

27 18

28 32

[29-30] 두 수가 약수와 배수의 관계가 되도록 □ 안에 1 이외의 알맞은 수를 써넣으시오.

29 (15, □)

30 (□, 49)

[31-32] 두 수가 약수와 배수의 관계인 것을 모두 찾아 선으로 이어 보시오.

31

8	·	·	18
3	·	·	40
6	·	·	24

32

5	·	·	20
4	·	·	45
9	·	·	36

[33-34] 어떤 수의 배수를 가장 작은 수부터 차례대로 썼을 때, 11번째 수를 구하시오.

33 5, 10, 15, 20……

34 13, 26, 39, 52……

05 공약수와 최대공약수

우리는 앞 단원에서 약수에 대하여 알아보았습니다. 어떤 수를 나누어떨어지게 하는 수를 그 수의 약수라고 하였습니다.
10과 15의 약수를 구해보면 다음과 같습니다.

- 10의 약수: 1, 2, 5, 10
- 15의 약수: 1, 3, 5, 15

그렇다면 10과 15의 공통인 약수도 있을까요?
1, 5는 10의 약수도 되고 15의 약수도 됩니다.
10과 15의 공통된 약수인 1, 5를 10과 15의 **공약수**라고 하며, 공약수 중에서 가장 큰 수인 5를 10과 15의 **최대공약수**라고 합니다.

10의 약수: 1, 2, 5, 10
15의 약수: 1, 3, 5, 15
10과 15의 공약수: 1, 5
10과 15의 최대공약수: 5

곱셈식 이용하기

두 수를 1이 아닌 가장 작은 수들의 곱으로 나타냅니다.
▼
(두 수의 최대공약수)
＝(공통으로 들어 있는 수들의 곱)

한편 최대공약수는 다음과 같이 두 가지 방법으로 구할 수 있습니다.

[방법 1] 곱셈식 이용하기	[방법 2] 공약수로 나누기
$10 = 5 \times 2$ $15 = 5 \times 3$ 최대공약수는 5입니다.	5) 10 15 2 3 최대공약수는 5입니다.

이때 <mark>두 수의 공약수는 두 수의 최대공약수의 약수</mark>임을 알 수 있습니다.
즉, 10과 15의 공약수는 두 수의 최대공약수 5의 약수인 1, 5가 됩니다.

공약수로 나누기

두 수를 1이 아닌 공약수로 나눕니다.
▼
(두 수의 최대공약수)
＝(나눈 수들의 곱)

풍산자 비법

❶ 곱셈식을 이용하여 최대공약수 구하기

■ = ★ × ◆
● = ★ × ♣

곱셈식에 공통으로 들어 있는 가장 큰 수인 ★이 최대공약수이다.

❷ 공약수로 나누어 최대공약수 구하기

★) ■ ●
    ◆ ♣

두 수를 나눌 수 있는 가장 큰 수인 ★이 최대공약수이다.

예제 따라 풀어보는 연산

예제 1
3의 약수 ⇨ 1, 3
6의 약수 ⇨ 1, 2, 3, 6
3과 6의 공약수 ⇨ 1, 3

01 12의 약수 ⇨
15의 약수 ⇨
12와 15의 공약수 ⇨

02 18의 약수 ⇨
24의 약수 ⇨
18과 24의 공약수 ⇨

03 13의 약수 ⇨
39의 약수 ⇨
13과 39의 공약수 ⇨

04 12의 약수 ⇨
30의 약수 ⇨
12와 30의 공약수 ⇨

예제 2
$6 = 3 \times 2$
$9 = 3 \times 3$
6과 9의 최대공약수 ⇨ 3

05 $9 =$
$45 =$
9와 45의 최대공약수 ⇨

06 $16 =$
$32 =$
16과 32의 최대공약수 ⇨

07 $20 =$
$35 =$
20과 35의 최대공약수 ⇨

08 $21 =$
$56 =$
21과 56의 최대공약수 ⇨

예제 3 5와 10의 최대공약수 ⇨ 5   5) 5   10
                                          1   2

09 11과 55의 최대공약수 ⇨

10 28과 42의 최대공약수 ⇨

11 30과 36의 최대공약수 ⇨

12 21과 63의 최대공약수 ⇨

스스로 풀어보는 연산

13 8과 12의 곱셈식

8 =

12 =

8과 12의 최대공약수 ⇨

14) 8 12

8과 12의 최대공약수 ⇨

15 18과 27의 곱셈식

18 =

27 =

18과 27의 최대공약수 ⇨

16) 18 27

18과 27의 최대공약수 ⇨

17 20과 32의 곱셈식

20 =

32 =

20과 32의 최대공약수 ⇨

18) 20 32

20과 32의 최대공약수 ⇨

19 15와 45의 곱셈식

15 =

45 =

15와 45의 최대공약수 ⇨

20) 15 45

15와 45의 최대공약수 ⇨

21 36과 63의 곱셈식

36 =

63 =

36과 63의 최대공약수 ⇨

22) 36 63

36과 63의 최대공약수 ⇨

23 24와 42의 곱셈식

24 =

42 =

24와 42의 최대공약수 ⇨

24) 24 42

24와 42의 최대공약수 ⇨

25 54와 60의 곱셈식

54 =

60 =

54와 60의 최대공약수 ⇨

26) 54 60

54와 60의 최대공약수 ⇨

응용 연산

[27-28] 두 수의 최대공약수가 주어졌을 때, 두 수의 공약수를 모두 구하시오.

27 두 수의 최대공약수 16

28 두 수의 최대공약수 42

[29-30] 두 수의 최대공약수가 큰 순서대로 기호를 쓰시오.

29
- ㉠ 70과 40
- ㉡ 14와 56
- ㉢ 36과 81
- ㉣ 55와 22

30
- ㉠ 45와 18
- ㉡ 13과 78
- ㉢ 60과 75
- ㉣ 24와 64

[31-32] 최대공약수가 다른 것의 기호를 쓰시오.

31
- ㉠ 18과 30
- ㉡ 42와 54
- ㉢ 84와 63

32
- ㉠ 21과 28
- ㉡ 35와 45
- ㉢ 91과 14

[33-34] 두 수의 최대공약수와 공약수를 모두 구하시오.

33 (42, 105)

34 (54, 90)

06 공배수와 최소공배수

우리는 앞 단원에서 배수에 대하여 알아보았습니다. 어떤 수를 1배, 2배, 3배……한 수를 그 수의 배수라고 하였습니다.

4와 6의 배수를 구해보면 다음과 같습니다.

- 4의 배수: 4, 8, 12, 16, 20, 24, 28, 32, 36……
- 6의 배수: 6, 12, 18, 24, 30, 36, 42, 48, 54……

그렇다면 4와 6의 공통인 배수도 있을까요?

12, 24, 36……은 4의 배수도 되고 6의 배수도 됩니다. 4와 6의 공통된 배수 12, 24, 36……을 4와 6의 **공배수**라고 하며, 공배수 중에서 가장 작은 수인 12를 4와 6의 **최소공배수**라고 합니다.

> 4의 배수: 4, 8, 12, 16, 20, 24……
> 6의 배수: 6, 12, 18, 24, 30, 36……
> 4와 6의 공배수: 12, 24, 36……
> 4와 6의 최소공배수: 12

곱셈식 이용하기

두 수를 1이 아닌 가장 작은 수들의 곱으로 나타냅니다.
▼
(두 수의 최소공배수)
=(공통으로 들어 있는 수들의 곱에 나머지 수들을 모두 곱한 수)

한편 최소공배수는 다음과 같이 두 가지 방법으로 구할 수 있습니다.

[방법 1] 곱셈식 이용하기

$4 = 2 \times 2$
$6 = 2 \times 3$

최소공배수는 $2 \times 2 \times 3 = 12$입니다.

[방법 2] 공약수로 나누기

$$2 \overline{)\,4 \quad 6\,}$$
$$\,2 \quad 3$$

최소공배수는 $2 \times 2 \times 3 = 12$입니다.

공약수로 나누기

두 수를 1이 아닌 공약수로 나눕니다.
▼
(두 수의 최소공배수)
=(나눈 수와 몫의 곱)

이때 <mark>두 수의 공배수는 두 수의 최소공배수의 배수</mark>임을 알 수 있습니다.

즉, 4와 6의 공배수는 두 수의 최소공배수 12의 배수인 12, 24, 36……이 됩니다.

풍산자 비법

❶ 곱셈식을 이용하여 최소공배수 구하기

■ = ★ × ◆
● = ★ × ♣

공통인 최대공약수와 남은 수를 곱한다.
⇨ ★ × ◆ × ♣

❷ 최대공약수로 나누어 최소공배수 구하기

★) ■ ●
　　◆ ♣

최대공약수와 밑에 남은 몫을 모두 곱한다.
⇨ ★ × ◆ × ♣

예제 따라 풀어보는 연산

예제 1
3의 배수 ⇨ 3, 6, 9, 12, 15······
6의 배수 ⇨ 6, 12, 18, 24, 30······
3과 6의 공배수 ⇨ 6, 12, 18······

01 3의 배수 ⇨
4의 배수 ⇨
3과 4의 공배수 ⇨

02 8의 배수 ⇨
12의 배수 ⇨
8과 12의 공배수 ⇨

03 20의 배수 ⇨
25의 배수 ⇨
20과 25의 공배수 ⇨

04 12의 배수 ⇨
36의 배수 ⇨
12와 36의 공배수 ⇨

예제 2
$6 = 3 \times 2$
$9 = 3 \times 3$
6과 9의 최소공배수 ⇨ $3 \times 2 \times 3 = 18$

05 9 =
15 =
9와 15의 최소공배수 ⇨

06 10 =
25 =
10과 25의 최소공배수 ⇨

07 8 =
14 =
8과 14의 최소공배수 ⇨

08 6 =
24 =
6과 24의 최소공배수 ⇨

예제 3
10과 15의 최소공배수
⇨ $5 \times 2 \times 3 = 30$

$\begin{array}{r|rr} 5 & 10 & 15 \\ \hline & 2 & 3 \end{array}$

09 4와 24의 최소공배수 ⇨

10 13과 39의 최소공배수 ⇨

11 28과 42의 최소공배수 ⇨

12 20과 56의 최소공배수 ⇨

스스로 풀어보는 연산

13 9와 18의 곱셈식

9=

18=

9와 18의 최소공배수 ⇨

14) 9 18

9와 18의 최소공배수 ⇨

15 16과 24의 곱셈식

16=

24=

16과 24의 최소공배수 ⇨

16) 16 24

16과 24의 최소공배수 ⇨

17 14와 49의 곱셈식

14=

49=

14와 49의 최소공배수 ⇨

18) 14 49

14와 49의 최소공배수 ⇨

19 25와 70의 곱셈식

25=

70=

25와 70의 최소공배수 ⇨

20) 25 70

25와 70의 최소공배수 ⇨

21 52와 65의 곱셈식

52=

65=

52와 65의 최소공배수 ⇨

22) 52 65

52와 65의 최소공배수 ⇨

23 36과 42의 곱셈식

36=

42=

36과 42의 최소공배수 ⇨

24) 36 42

36과 42의 최소공배수 ⇨

25 45와 72의 곱셈식

45=

72=

45와 72의 최소공배수 ⇨

26) 45 72

45와 72의 최소공배수 ⇨

응용 연산

[27-28] 다음 두 수의 최대공약수와 최소공배수를 각각 구하시오.

27 (18, 30)
최대공약수 ⇨
최소공배수 ⇨

28 (42, 63)
최대공약수 ⇨
최소공배수 ⇨

[29-30] 두 수의 최소공배수가 주어졌을 때, 이 두 수의 공배수를 작은 수부터 차례대로 3개 쓰시오.

29 두 수의 최소공배수 12

30 두 수의 최소공배수 27

[31-32] 두 수의 최소공배수와 100에 가장 가까운 공배수를 차례대로 쓰시오.

31 (2, 12)

32 (6, 15)

[33-34] 두 수의 최소공배수가 작은 순서대로 기호를 쓰시오.

33
- ㉠ 21과 49
- ㉡ 12와 15
- ㉢ 18과 24
- ㉣ 10과 25

34
- ㉠ 12와 18
- ㉡ 28과 56
- ㉢ 16과 36
- ㉣ 36과 45

재미있게, 우리 연산하자!

지금까지 우리는 <u>약수와 배수</u>를 배웠습니다.
힘들었을 텐데, 잘 풀었어요!

자, 그럼 마지막으로 지금까지 배운 약수와 배수를 모두 이용해서
미로를 탈출해 볼까요?
미로만 풀지 말고 직접 계산을 해 보세요!
그리고 마지막 ❿번에 해당하는 수를 구해봅시다.
Are you ready? Then, Start to walk!!

- 6과 8의 최소공배수
- ❶의 약수의 개수
- ❸과 21의 최소공배수
- ❷와 18의 최대공약수
- ❹와 56의 공약수의 개수
- ❺와 6의 최소공배수
- ❼의 약수의 개수
- ❻과 24의 최대공약수
- ❽과 20의 최소공배수
- ❾와 45의 최대공약수

3

규칙과 대응

공부할 내용	공부한 날
07 두 양 사이의 관계	월 일
08 대응 관계를 식으로 나타내기	월 일

07 두 양 사이의 관계

우리는 [수학 4-1] 6단원 규칙 찾기에서 다양한 상황에서 규칙을 찾는 방법을 배웠습니다. 도형이 주어진 경우 도형의 개수와 도형이 놓이는 모양을 살펴보면 다음과 같이 규칙을 찾을 수 있었습니다.

> 쌓기나무의 개수가 아래쪽으로 1개, 위쪽으로 1개씩 계단 모양으로 늘어납니다.

그렇다면 규칙이 있는 두 수 사이에서 대응이라는 관계를 알아볼까요?

강아지의 다리는 4개입니다. 강아지의 수와 다리의 수 사이에는 어떤 관계가 있을까요?

먼저 강아지가 1마리 있다면 다리는 4개입니다. 강아지가 1마리 더 늘어나서 2마리가 되면 다리의 수도 4개 늘어나서 총 다리는 8개가 되고, 강아지가 1마리 더 늘어나서 3마리가 되면 다리의 수도 4개 늘어나서 총 다리는 12개로 늘어나지요.
강아지의 수와 다리의 수의 대응 관계를 표로 나타내면 다음과 같습니다.

강아지의 수(마리)	1	2	3	4	5
다리의 수(개)	4	8	12	16	20

우리는 표를 통해 강아지가 한 마리 늘어날 때마다 다리가 4개씩 늘어나는 대응 관계가 있다는 것을 알 수 있습니다.
이처럼 ==규칙적인 배열에서 한 양이 변할 때 다른 양이 그에 따라 일정하게 변하는 관계를 대응 관계==라고 합니다.

> 두 양 사이의 대응 관계를 말할 때에는 되도록 두 양을 모두 언급합니다.

풍산자 비법

대응 관계 ⇨ 한 양이 변할 때 다른 양이 그에 따라 일정하게 변하는 관계

예제 따라 풀어보는 연산

예제 1 □ 안에 알맞은 수를 구하시오.

연필의 수(자루)	1	2	3	4
지우개의 수(개)	2	3	□	5

➪ 지우개는 연필보다 1개 많습니다.
따라서 □=4입니다.

01

구두의 수(켤레)	1	2	3	4
운동화의 수(켤레)	3	□	9	12

02

년도(년)	2016	2017	2018	2019
나이(살)	13	14	□	16

03

축구공의 수(개)	2	4	6	8
야구공의 수(개)	□	9	11	13

04

편지봉투의 수(장)	1	2	3	4
편지지의 수(장)	4	8	12	□

예제 2 □ 안에 알맞은 수를 구하시오.

수학 책의 수(권)	4	5	□	7
영어 책의 수(권)	2	3	4	5

➪ 수학 책은 영어 책보다 2권 많습니다.
따라서 □=6입니다.

05

변의 수(개)	15	□	35	45
오각형의 수(개)	3	5	7	9

06

우유의 수(개)	8	9	□	11
도넛의 수(개)	16	18	20	22

07

학생의 수(명)	□	16	24	32
모둠의 수(개)	2	4	6	8

08

동전의 수(개)	1	2	3	□
금액(원)	100	200	300	400

3. 규칙과 대응

스스로 풀어보는 연산

[09-16] 표를 보고 대응 관계를 쓰시오.

09

빵의 수(개)	1	2	3	4
쿠키의 수(개)	2	4	6	8

10

젤리의 수(개)	5	6	7	8
초콜릿의 수(개)	1	2	3	4

11

초등학교의 수(개)	9	10	11	12
중학교의 수(개)	18	19	20	21

12

병아리의 수(마리)	1001	1002	1003	1004
닭의 수(마리)	501	502	503	504

13

색종이의 수(장)	8	16	24	32
가위의 수(개)	1	2	3	4

14

장미꽃의 수(송이)	6	7	8	9
안개꽃의 수(송이)	18	21	24	27

15

오징어 다리의 수(개)	100	110	120	130
오징어의 수(마리)	10	11	12	13

16

버스의 수(대)	1	2	3	4
버스 좌석의 수(개)	15	30	45	60

응용 연산

17 자동차 1대의 바퀴 수는 4개입니다. 자동차의 수와 바퀴의 수 사이의 대응 관계를 나타낸 표를 완성하시오.

자동차의 수(대)	1	2	3	4
바퀴의 수(개)	4			

18 17번 문제에서 완성한 표를 보고 자동차의 수와 바퀴의 수 사이의 대응 관계를 쓰시오.

19 사탕 1봉지에는 사탕이 7개씩 들어 있습니다. 사탕 봉지의 수와 봉지 안에 들어 있는 사탕의 수 사이의 대응 관계를 나타낸 표를 완성하시오.

봉지의 수(개)	1	2	3	4
사탕의 수(개)	7			

20 19번 문제에서 완성한 표를 보고 봉지의 수와 사탕의 수 사이의 대응 관계를 쓰시오.

21 사각형의 수와 꼭짓점의 수 사이의 대응 관계를 나타낸 표를 완성하시오.

사각형의 수(개)	1	2	3	4	5
꼭짓점의 수(개)	4				

22 21번 문제에서 완성한 표를 보고 사각형의 수와 꼭짓점의 수 사이의 대응 관계를 쓰시오.

23 은지는 3개에 4000원 하는 사과를 몇 개 사고 20000원을 냈습니다. 표를 완성하고 몇 개의 사과를 샀는지 구하시오.

사과의 수(개)	3		9	
지불한 돈(원)		8000		16000	20000

24 100원짜리 동전의 무게는 약 5 g입니다. 민호의 주머니에 100원짜리 동전 12개가 들어 있을 때, 표를 완성하고 총 몇 g인지 구하시오.

동전의 수(개)		6		12
무게(g)	15		45	

3. 규칙과 대응

08 대응 관계를 식으로 나타내기

우리는 앞 단원에서 대응 관계에 대해 알아보았습니다. 한 양이 변할 때 다른 양이 그에 따라 일정하게 변하면 이 관계는 대응 관계라고 합니다.

그렇다면 대응 관계를 어떻게 식으로 간단하게 표현할 수 있을까요?
꽃잎이 5장인 꽃이 있습니다. 꽃송이의 수와 꽃잎의 수 사이의 대응 관계를 표로 나타낸 후 식으로 표현해 봅시다.

꽃송이의 수(송이)	1	2	3	4	5
꽃잎의 수(장)	5	10	15	20	25

꽃이 1송이, 2송이, 3송이……로 늘어날 때마다 꽃잎은 5장, 10장, 15장……으로 늘어나고 있습니다.

이때 꽃잎의 수는 꽃송이의 수의 5배입니다. 또, 꽃잎이 5장이면 꽃송이 1개를 만들 수 있습니다.

이러한 대응 관계를 식으로 나타내면

(꽃송이의 수)×5=(꽃잎의 수) 또는 (꽃잎의 수)÷5=(꽃송이의 수)

로 나타낼 수 있습니다.

또한 꽃송이의 수와 꽃잎의 수를 기호를 사용하여 표현할 수도 있습니다.
꽃송이의 수를 ●, 꽃잎의 수를 ▲라 하면

●×5=▲ 또는 ▲÷5=●

와 같이 식으로 나타낼 수 있습니다.

즉, 한 양이 변하면 다른 한 양이 그에 따라 일정하게 변하는 대응 관계를 식으로 나타낼 수 있으며, 이때 ●, ▲, ■ 등과 같은 기호를 사용하면 훨씬 편리합니다.

> 같은 두 양의 대응 관계를 나타내는 식이라도 기준이 무엇인가에 따라 표현된 식이 다릅니다. 즉, 한 가지 상황에서 다양한 대응 관계를 찾을 수 있습니다.

풍산자 비법
두 양 사이의 대응 관계를 식으로 나타낼 때
⇨ 각 양을 ●, ▲, ■ 등과 같은 기호로 표현할 수 있다.

예제 따라 풀어보는 연산

예제 1 대응 관계를 식으로 나타내시오.

오리의 수(마리)	1	2	3	4
오리 다리의 수(개)	2	4	6	8

⇨ (오리 다리의 수)=(오리의 수)×2

01

문어의 수(마리)	1	2	3	4
문어 다리의 수(개)	8	16	24	32

02

연도(년)	2016	2017	2018	2019
학생의 나이(살)	10	11	12	13

03

삼각형의 수(개)	2	4	6	8
삼각형의 변의 수(개)	6	12	18	24

04

과자 상자의 수(개)	1	2	3	4
과자의 수(개)	15	30	45	60

예제 2 ▲와 ■ 사이의 관계를 ▲와 ■를 사용한 식으로 나타내시오.

▲	4	8	12	16
■	1	2	3	4

⇨ ■=▲÷4

05

▲	1	2	3	4
■	3	6	9	12

06

▲	4	8	12	16
■	2	4	6	8

07

▲	5	10	15	20
■	15	20	25	30

08

▲	2016	2017	2018	2019
■	11	12	13	14

3. 규칙과 대응

스스로 풀어보는 연산

[09-12] 대응 관계를 식으로 나타내시오.

09

영미의 나이(살)	10	12	14	16
동생의 나이(살)	3	5	7	9

10

펭귄의 수(마리)	5	10	15	20
펭귄 다리의 수(개)	10	20	30	40

11

자전거 바퀴의 수(개)	8	16	24	32
자전거의 수(대)	4	8	12	16

12

우유의 수(개)	1	2	3	4
우유의 가격(원)	800	1600	2400	3200

[13-16] ♥와 ★ 사이의 관계를 ♥와 ★을 사용한 식으로 나타내시오.

13

♥	7	14	21	28
★	1	2	3	4

14

♥	6	7	8	9
★	3	4	5	6

15

♥	40	44	48	52
★	10	11	12	13

16

♥	50	100	150	200
★	1	2	3	4

응용 연산

17 아이스크림의 1개의 가격은 1500원입니다. 표를 완성하고 대응 관계를 식으로 나타내시오.

아이스크림의 수(개)	1	2	3	4
아이스크림의 가격(원)	1500			

18 승우의 나이는 11살이고, 동생의 나이는 6살입니다. 표를 완성하고 대응 관계를 식으로 나타내시오.

승우의 나이(살)	11	12	13	14
동생의 나이(살)	6			

[19-20] 표를 완성하고 대응 관계를 ▲와 ■를 사용한 식으로 나타내시오.

19

■	1	2	3	4	5
▲	30	60	90		

20

■	2017	2018	2019	2020	2021
▲	10	11	12		

[21-22] 표를 완성하고 대응 관계를 ★과 ♥를 사용한 식으로 나타내시오.

21

♥	1	2	3	4	5	6
★	4	7	10	13	16	

22

♥	4	9	16	25	36	
★	2	3	4	5	6	7

23 성냥개비로 정삼각형을 만들었습니다. 정삼각형의 수와 성냥개비의 수 사이의 대응 관계를 식으로 나타내시오.

24 누름 못을 사용하여 도화지를 게시판에 붙였습니다. 도화지의 수와 누름 못의 수 사이의 대응 관계를 식으로 나타내시오.

재미있게, 우리 연산하자!

지금까지 우리는 규칙과 대응을 배웠습니다.
힘들었을 텐데, 잘 풀었어요!

자, 그럼 마지막으로 지금까지 배운 규칙과 대응을 모두 이용해서
비어있는 디딤돌을 채우고 냇가를 같이 건너 볼까요?
★와 ●, ▲와 ■, ♥와 ♣의 대응 관계를 찾아서
디딤돌에 해당하는 수를 구해 돌다리를 완성해 봅시다.
함께 공부하는 친구와 시합을 하는 것도 재미있을 것 같아요.
ready~ start!

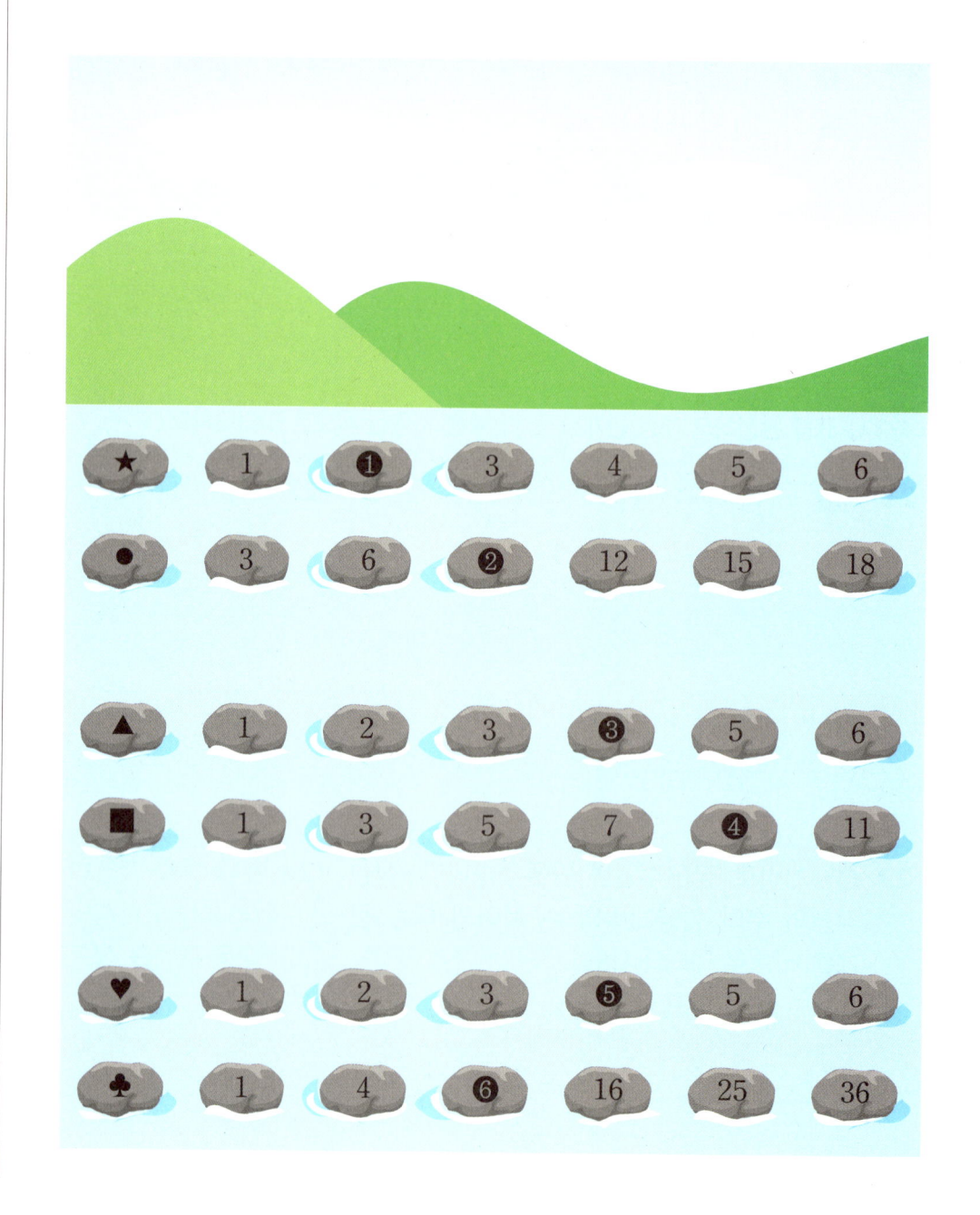

| ★ | 1 | ❶ | 3 | 4 | 5 | 6 |
| ● | 3 | 6 | ❷ | 12 | 15 | 18 |

| ▲ | 1 | 2 | 3 | ❸ | 5 | 6 |
| ■ | 1 | 3 | 5 | 7 | ❹ | 11 |

| ♥ | 1 | 2 | 3 | ❺ | 5 | 6 |
| ♣ | 1 | 4 | ❻ | 16 | 25 | 36 |

4

약분과 통분

공부할 내용	공부한 날
09 크기가 같은 분수	월 일
10 약분, 통분	월 일
11 분수와 소수의 크기 비교	월 일

09 크기가 같은 분수

우리는 [수학 3-1] 6단원 분수와 소수에서 주어진 분수만큼 색칠해 보는 활동을 통하여 분수에 대하여 알아보았습니다.

$\frac{1}{2}$, $\frac{2}{4}$, $\frac{4}{8}$를 색칠해 보면 다음과 같습니다.

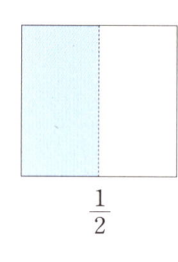

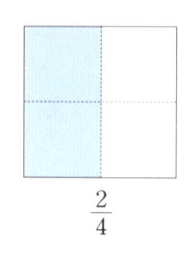

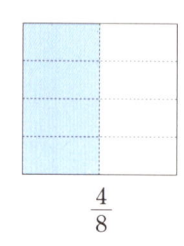

$\frac{1}{2}$　　$\frac{2}{4}$　　$\frac{4}{8}$

그렇다면 $\frac{1}{2}$, $\frac{2}{4}$, $\frac{4}{8}$의 크기를 비교해 보면 어떤 분수가 클까요?

위의 그림에서 보는 것과 같이 $\frac{1}{2}$, $\frac{2}{4}$, $\frac{4}{8}$는 분모, 분자는 달라도 그림으로 나타냈을 때 나타내는 양은 같습니다. 이와 같이 그림으로 나타냈을 때 ==같은 양을 나타내는 분수를 크기가 같은 분수==라고 합니다.

또한, 크기가 같은 분수는 다음과 같이 두 가지 방법으로 만들 수 있습니다.

[방법 1] 분모와 분자에 ==0이 아닌 같은 수를 곱하여== 크기가 같은 분수 만들기

$$\frac{1}{2} = \frac{1 \times 2}{2 \times 2} = \frac{1 \times 3}{2 \times 3} = \frac{1 \times 4}{2 \times 4} \cdots\cdots \Rightarrow \frac{1}{2} = \frac{2}{4} = \frac{3}{6} = \frac{4}{8} \cdots\cdots$$

[방법 2] 분모와 분자를 ==0이 아닌 같은 수로 나누어== 크기가 같은 분수 만들기

$$\frac{8}{24} = \frac{8 \div 2}{24 \div 2} = \frac{8 \div 4}{24 \div 4} = \frac{8 \div 8}{24 \div 8} \Rightarrow \frac{8}{24} = \frac{4}{12} = \frac{2}{6} = \frac{1}{3}$$

즉, 분모와 분자에 0이 아닌 같은 수를 곱하거나 같은 수로 나누면 크기가 같은 분수가 됩니다.

> 분모와 분자를 0이 아닌 같은 수로 나눌 때
> ⇒ 분모와 분자가 모두 나누어떨어져야 하므로 분모와 분자의 공약수로 나누기

풍산자 비법

❶ 분모와 분자에 0이 아닌 같은 수를 곱하여 크기가 같은 분수를 만들 수 있다.

$$\frac{\triangle}{\blacksquare} = \frac{\triangle \times \bigstar}{\blacksquare \times \bigstar}$$

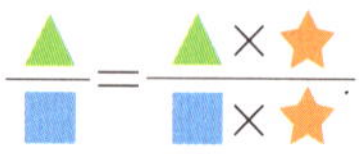

❷ 분모와 분자를 0이 아닌 같은 수로 나누어 크기가 같은 분수를 만들 수 있다.

$$\frac{\triangle}{\blacksquare} = \frac{\triangle \div \bullet}{\blacksquare \div \bullet}$$

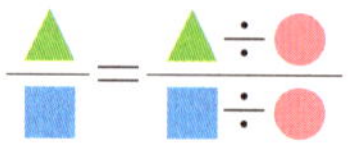

예제 따라 풀어보는 연산

예제 1 크기가 같은 분수를 모두 찾아 ○표 하시오.

$$\frac{1}{3} \quad \left(\boxed{\frac{3}{9}} = \frac{1\times 3}{3\times 3} \quad \frac{6}{8} \quad \boxed{\frac{4}{12}} = \frac{1\times 4}{3\times 4} \quad \frac{15}{30} \right)$$

01 $\frac{1}{2}$ $\left(\frac{2}{4} \quad \frac{4}{6} \quad \frac{9}{10} \quad \frac{6}{12} \right)$

02 $\frac{5}{7}$ $\left(\frac{10}{21} \quad \frac{28}{35} \quad \frac{10}{14} \quad \frac{20}{28} \right)$

03 $\frac{8}{16}$ $\left(\frac{4}{8} \quad \frac{3}{12} \quad \frac{2}{3} \quad \frac{2}{4} \right)$

04 $\frac{12}{54}$ $\left(\frac{15}{24} \quad \frac{3}{12} \quad \frac{6}{27} \quad \frac{2}{9} \right)$

예제 2 분자와 분모에 0이 아닌 같은 수를 곱하여 크기가 같은 분수를 3개 만드시오.

$$\frac{4}{9} = \left(\frac{4\times 2}{9\times 2} = \frac{8}{18}, \frac{4\times 3}{9\times 3} = \frac{12}{27}, \frac{4\times 4}{9\times 4} = \frac{16}{36} \right)$$

05 $\frac{5}{8} = ($ 　　　　　 $)$

06 $\frac{3}{10} = ($ 　　　　　 $)$

07 $\frac{8}{13} = ($ 　　　　　 $)$

08 $\frac{2}{7} = ($ 　　　　　 $)$

예제 3 분자와 분모를 0이 아닌 같은 수로 나누어 크기가 같은 분수를 3개 만드시오.

$$\frac{16}{64} = \left(\frac{16\div 2}{64\div 2} = \frac{8}{32}, \frac{16\div 4}{64\div 4} = \frac{4}{16}, \frac{16\div 8}{64\div 8} = \frac{2}{8} \right)$$

09 $\frac{12}{36} = ($ 　　　　　 $)$

10 $\frac{15}{30} = ($ 　　　　　 $)$

11 $\frac{8}{40} = ($ 　　　　　 $)$

12 $\frac{18}{72} = ($ 　　　　　 $)$

4. 약분과 통분

스스로 풀어보는 연산

[13-18] 크기가 같은 분수를 모두 찾아 ○표 하시오.

13 $\frac{20}{24}$ ($\frac{2}{4}$ $\frac{5}{6}$ $\frac{10}{12}$ $\frac{3}{8}$)	14 $\frac{18}{30}$ ($\frac{1}{2}$ $\frac{7}{10}$ $\frac{9}{15}$ $\frac{3}{5}$)
15 $\frac{9}{10}$ ($\frac{45}{50}$ $\frac{27}{40}$ $\frac{29}{30}$ $\frac{18}{20}$)	16 $\frac{3}{7}$ ($\frac{27}{63}$ $\frac{21}{56}$ $\frac{9}{21}$ $\frac{30}{77}$)
17 $\frac{6}{16}$ ($\frac{24}{64}$ $\frac{7}{17}$ $\frac{3}{8}$ $\frac{18}{24}$)	18 $\frac{32}{72}$ ($\frac{5}{12}$ $\frac{8}{20}$ $\frac{4}{9}$ $\frac{16}{36}$)

[19-26] 크기가 같은 분수를 3개 쓰시오.

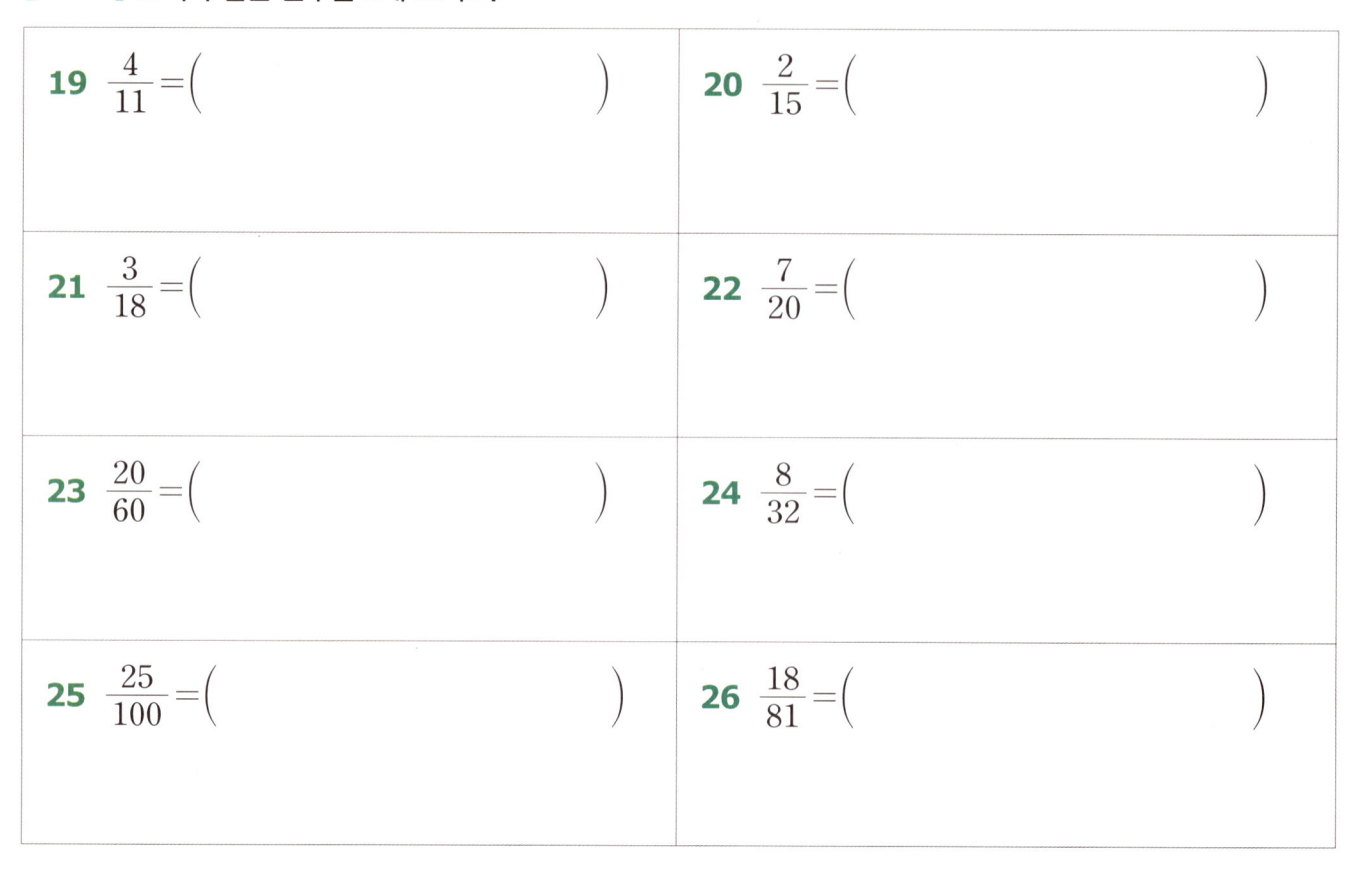

19 $\frac{4}{11}=($　　　　　$)$	20 $\frac{2}{15}=($　　　　　$)$
21 $\frac{3}{18}=($　　　　　$)$	22 $\frac{7}{20}=($　　　　　$)$
23 $\frac{20}{60}=($　　　　　$)$	24 $\frac{8}{32}=($　　　　　$)$
25 $\frac{25}{100}=($　　　　　$)$	26 $\frac{18}{81}=($　　　　　$)$

응용 연산

[27-28] □ 안에 알맞은 수를 써넣으시오.

27
$\dfrac{5}{6} = \dfrac{5 \times 2}{6 \times \square} = \dfrac{10}{\square}$

$\dfrac{5}{6} = \dfrac{5 \times \square}{6 \times 3} = \dfrac{\square}{18}$

$\dfrac{5}{6} = \dfrac{5 \times 4}{6 \times \square} = \dfrac{20}{\square}$

28
$\dfrac{32}{40} = \dfrac{32 \div \square}{40 \div 2} = \dfrac{\square}{20}$

$\dfrac{32}{40} = \dfrac{32 \div 4}{40 \div \square} = \dfrac{8}{\square}$

$\dfrac{32}{40} = \dfrac{32 \div \square}{40 \div 8} = \dfrac{\square}{5}$

[29-30] □ 안에 알맞은 수를 써넣으시오.

29 (1) $\dfrac{3}{7} = \dfrac{6}{\square} = \dfrac{\square}{21} = \dfrac{12}{\square} = \dfrac{\square}{35}$

(2) $\dfrac{9}{10} = \dfrac{18}{\square} = \dfrac{\square}{30} = \dfrac{36}{\square} = \dfrac{\square}{50}$

30 (1) $\dfrac{64}{128} = \dfrac{32}{\square} = \dfrac{\square}{32} = \dfrac{4}{\square} = \dfrac{\square}{2}$

(2) $\dfrac{80}{176} = \dfrac{40}{\square} = \dfrac{\square}{44} = \dfrac{10}{\square} = \dfrac{\square}{11}$

[31-32] 크기가 같은 분수끼리 짝 지으시오.

31

$\dfrac{8}{12} \quad \dfrac{36}{70} \quad \dfrac{14}{48} \quad \dfrac{64}{96} \quad \dfrac{7}{24}$

32

$\dfrac{15}{20} \quad \dfrac{27}{81} \quad \dfrac{63}{35} \quad \dfrac{9}{5} \quad \dfrac{3}{9}$

[33-34] 두 조건을 만족하는 분수를 구하시오.

33
- ㉠ $\dfrac{7}{8}$과 크기가 같은 분수입니다.
- ㉡ 분모와 분자의 합이 75입니다.

34
- ㉠ $\dfrac{10}{13}$과 크기가 같은 분수입니다.
- ㉡ 분모와 분자의 합이 92입니다.

10 약분, 통분

우리는 앞 단원에서 분모와 분자에 0이 아닌 같은 수를 곱하거나 같은 수로 나누어 크기가 같은 분수를 만드는 방법을 알아보았습니다.

$\frac{1}{2}$, $\frac{8}{24}$과 크기가 같은 분수는 다음과 같이 만들 수 있었습니다.

- $\frac{1}{2} = \frac{1 \times 2}{2 \times 2} = \frac{1 \times 3}{2 \times 3} = \frac{1 \times 4}{2 \times 4} \cdots \Rightarrow \frac{1}{2} = \frac{2}{4} = \frac{3}{6} = \frac{4}{8} \cdots$
- $\frac{8}{24} = \frac{8 \div 2}{24 \div 2} = \frac{8 \div 4}{24 \div 4} = \frac{8 \div 8}{24 \div 8} \Rightarrow \frac{8}{24} = \frac{4}{12} = \frac{2}{6} = \frac{1}{3}$

이때 $\frac{8}{24} = \frac{4}{12}$, $\frac{8}{24} = \frac{2}{6}$, $\frac{8}{24} = \frac{1}{3}$과 같이 분모와 분자의 공약수로 나누어 간단히 하는 것을 **약분한다**고 하고, 분모와 분자의 최대공약수로 나누어 분모와 분자의 공약수가 1뿐인 분수를 **기약분수**라고 합니다.

즉, $\frac{8}{24}$을 약분하면 $\frac{4}{12}$, $\frac{2}{6}$, $\frac{1}{3}$이고 이 중 기약분수는 $\frac{1}{3}$입니다.

또한 $\frac{1}{6}$과 $\frac{4}{9}$를 $\frac{3}{18}$과 $\frac{8}{18}$과 같이 분수의 분모를 같게 하는 것을 **통분한다**고 하고, 통분한 분모를 **공통분모**라고 합니다.

통분은 다음과 같이 두 가지 방법으로 할 수 있습니다.

[방법 1] **두 분모의 곱**을 공통분모로 하는 통분

$\left(\frac{1}{6}, \frac{4}{9}\right) \Rightarrow \left(\frac{1 \times 9}{6 \times 9}, \frac{4 \times 6}{9 \times 6}\right) \Rightarrow \left(\frac{9}{54}, \frac{24}{54}\right)$

[방법 2] **두 분모의 최소공배수**를 공통분모로 하는 통분

6과 9의 최소공배수는 18

$\left(\frac{1}{6}, \frac{4}{9}\right) \Rightarrow \left(\frac{1 \times 3}{6 \times 3}, \frac{4 \times 2}{9 \times 2}\right) \Rightarrow \left(\frac{3}{18}, \frac{8}{18}\right)$

즉, 분수를 통분할 때 공통분모가 될 수 있는 수는 분모의 공배수입니다.

약분
⇨ 분모와 분자의 공약수 중 1을 제외한 나머지 수로 분모와 분자를 나누기

분모가 작을 때
⇨ 두 분모의 곱을 공통분모로 하여 통분하면 편리

분모가 클 때
⇨ 두 분모의 최소공배수를 공통분모로 하여 통분하면 편리

풍산자 비법

❶ 약분 ⇨ 분자와 분모의 공약수로 분자와 분모를 나눈다.
❷ 통분 ⇨ 두 분모의 곱 또는 두 분모의 최소공배수를 공통분모로 한다.

예제 따라 풀어보는 연산

예제 1 주어진 분수를 약분하시오.

$$\frac{36}{42} = \left(\frac{36 \div 2}{42 \div 2} = \frac{18}{21} \quad \frac{36 \div 3}{42 \div 3} = \frac{12}{14} \quad \frac{36 \div 6}{42 \div 6} = \frac{6}{7} \right)$$

01 $\frac{6}{30} = ($　　　　　　$)$

02 $\frac{30}{50} = ($　　　　　　$)$

03 $\frac{50}{60} = ($　　　　　　$)$

04 $\frac{14}{70} = ($　　　　　　$)$

예제 2 기약분수를 모두 찾아 ○표 하시오.

$\left(\frac{5}{12}\right) \quad \frac{4}{6} \quad \frac{7}{14} \quad \left(\frac{3}{19}\right)$

05 $\frac{8}{10}, \frac{5}{22}, \frac{3}{16}, \frac{12}{40}$

06 $\frac{3}{7}, \frac{15}{27}, \frac{40}{50}, \frac{8}{19}$

07 $\frac{24}{42}, \frac{8}{16}, \frac{15}{33}, \frac{49}{51}$

08 $\frac{10}{11}, \frac{9}{18}, \frac{14}{63}, \frac{16}{21}$

예제 3 분모의 곱을 공통분모로 하여 통분하시오.

$\left(\frac{3}{4}, \frac{7}{10}\right) \Rightarrow \left(\frac{3 \times 10}{4 \times 10} = \frac{30}{40}, \frac{7 \times 4}{10 \times 4} = \frac{28}{40}\right)$

09 $\left(\frac{1}{12}, \frac{5}{8}\right) \Rightarrow ($　　　,　　　$)$

10 $\left(\frac{2}{3}, \frac{4}{5}\right) \Rightarrow ($　　　,　　　$)$

11 $\left(\frac{11}{20}, \frac{3}{9}\right) \Rightarrow ($　　　,　　　$)$

12 $\left(\frac{6}{7}, \frac{2}{15}\right) \Rightarrow ($　　　,　　　$)$

스스로 풀어보는 연산

[13-14] 주어진 분수를 기약분수로 나타내시오.

13 $\frac{20}{24}$	14 $\frac{18}{30}$

[15-16] 분수를 약분하려고 할 때, 1을 제외하고 분자, 분모를 나눌 수 있는 수를 모두 구하시오.

15 $\frac{36}{72}$	16 $\frac{24}{96}$

[17-18] 두 분수를 기약분수로 나타내시오.

17 $\left(\frac{15}{20}, \frac{14}{35}\right) \Rightarrow (\quad , \quad)$	18 $\left(\frac{16}{20}, \frac{17}{34}\right) \Rightarrow (\quad , \quad)$

[19-26] 분모의 곱과 최소공배수를 공통분모로 통분하시오.

19 분모의 곱 $\left(\frac{3}{4}, \frac{7}{12}\right) \Rightarrow (\quad , \quad)$	20 최소공배수 $\left(\frac{3}{4}, \frac{7}{12}\right) \Rightarrow (\quad , \quad)$
21 분모의 곱 $\left(\frac{8}{15}, \frac{5}{6}\right) \Rightarrow (\quad , \quad)$	22 최소공배수 $\left(\frac{8}{15}, \frac{5}{6}\right) \Rightarrow (\quad , \quad)$
23 분모의 곱 $\left(\frac{11}{40}, \frac{7}{8}\right) \Rightarrow (\quad , \quad)$	24 최소공배수 $\left(\frac{11}{40}, \frac{7}{8}\right) \Rightarrow (\quad , \quad)$
25 분모의 곱 $\left(\frac{4}{7}, \frac{10}{21}\right) \Rightarrow (\quad , \quad)$	26 최소공배수 $\left(\frac{4}{7}, \frac{10}{21}\right) \Rightarrow (\quad , \quad)$

응용 연산

[27-28] □ 안에 알맞은 수를 써넣으시오.

27 $\dfrac{\square}{63} \xrightarrow{약분} \dfrac{2}{3}$

28 $\dfrac{\square}{56} \xrightarrow{약분} \dfrac{5}{8}$

[29-30] 기약분수로 나타내고 분자와 분모의 합을 구하시오.

29 $\dfrac{21}{42}$

30 $\dfrac{36}{54}$

[31-32] 분모가 다음과 같은 진분수 중에서 기약분수를 모두 구하시오.

31 9

32 15

[33-34] 어떤 두 기약분수를 통분하였더니 다음 분수가 되었습니다. 통분하기 전의 두 분수를 구하시오.

33 $\left(\dfrac{10}{24},\ \dfrac{9}{24} \right)$

34 $\left(\dfrac{18}{50},\ \dfrac{35}{50} \right)$

11 분수와 소수의 크기 비교

우리는 [수학 3-1] 6단원 분수와 소수에서 $\frac{7}{8}$과 $\frac{5}{8}$와 같이 분모가 같은 분수의 크기를 비교하는 방법을 알아보았습니다. 분모가 같은 분수는 분자가 크면 더 큽니다. 즉, $\frac{7}{8} > \frac{5}{8}$입니다.

그렇다면 $\frac{5}{9}$와 $\frac{7}{12}$과 같이 분모가 다른 두 분수의 크기 비교나 $\frac{2}{5}$와 0.5와 같이 분수와 소수의 크기 비교는 어떻게 할까요?

$\frac{5}{9}$와 $\frac{7}{12}$과 같이 **분모가 다른 분수는 통분**하여 분모를 같게 한 후 분자의 크기를 비교합니다. 또한, $\frac{2}{5}$와 0.5와 같이 **분수와 소수의 크기 비교는 분수를 소수로** 나타내어 소수끼리 비교하거나 **소수를 분수로** 나타내어 분수끼리 비교합니다.

- $\frac{5}{9}$와 $\frac{7}{12}$의 크기 비교

$\left(\frac{5}{9}, \frac{7}{12}\right) \Rightarrow \left(\frac{5\times 4}{9\times 4}, \frac{7\times 3}{12\times 3}\right) \Rightarrow \left(\frac{20}{36}, \frac{21}{36}\right) \Rightarrow \frac{5}{9} < \frac{7}{12}$

- $\frac{2}{5}$와 0.5의 크기 비교

분수를 소수로 나타내어 크기 비교

$\Rightarrow \frac{2}{5} = \frac{4}{10} = 0.4$이므로 $\frac{2}{5} < 0.5$

소수를 분수로 나타내어 크기 비교

$\Rightarrow \frac{2}{5} = \frac{4}{10}$이고 $0.5 = \frac{5}{10}$이므로 $\frac{2}{5} < 0.5$

분모가 다른 세 분수
⇨ 두 분수씩 통분하여 크기 비교

분모가 다른 두 분수를 소수로 나타내기 편할 때
⇨ 두 분수를 소수로 나타내어 크기 비교

분수의 분모를 10, 100, 1000 등으로 바꿀 수 있을 때
⇨ 분수를 소수로 나타내어 크기 비교

풍산자 비법

❶ 분모가 다른 분수의 크기 비교 ⇨ 통분한 후 분자를 비교한다.
❷ 분수와 소수의 크기 비교 ⇨ 분수를 소수로 나타내어 소수끼리 비교하거나 소수를 분수로 나타내어 분수끼리 비교한다.

예제 따라 풀어보는 연산

예제 1
$\dfrac{2}{3} = \dfrac{2\times 5}{3\times 5} = \dfrac{10}{15}$, $\dfrac{3}{5} = \dfrac{3\times 3}{5\times 3} = \dfrac{9}{15}$ 이므로
$\dfrac{2}{3} > \dfrac{3}{5}$

01 $\dfrac{5}{9}$ ◯ $\dfrac{8}{11}$

02 $\dfrac{7}{20}$ ◯ $\dfrac{1}{3}$

03 $1\dfrac{3}{8}$ ◯ $1\dfrac{4}{9}$

04 $2\dfrac{6}{7}$ ◯ $2\dfrac{13}{15}$

예제 2
$\dfrac{3}{10} = \dfrac{12}{40}$, $\dfrac{5}{8} = \dfrac{25}{40}$ 이므로
$\dfrac{3}{10} < \dfrac{5}{8}$

05 $\dfrac{3}{8}$ ◯ $\dfrac{5}{12}$

06 $1\dfrac{7}{10}$ ◯ $1\dfrac{9}{14}$

07 $3\dfrac{5}{6}$ ◯ $3\dfrac{3}{4}$

08 $2\dfrac{7}{15}$ ◯ $2\dfrac{11}{20}$

예제 3
$0.3 = \dfrac{3}{10} = \dfrac{27}{90}$, $\dfrac{2}{9} = \dfrac{20}{90}$ 이므로
$0.3 > \dfrac{2}{9}$

09 0.9 ◯ $\dfrac{7}{8}$

10 0.4 ◯ $\dfrac{3}{8}$

11 $3\dfrac{3}{15}$ ◯ 3.2

12 $2\dfrac{5}{42}$ ◯ 2.1

4. 약분과 통분

스스로 풀어보는 연산

[13-16] □ 안에 알맞은 수를 써넣고, 두 수의 크기를 비교하시오.

13
$\left(\dfrac{5}{12}, \dfrac{4}{9}\right) \Rightarrow \left(\dfrac{\square}{36}, \dfrac{\square}{36}\right) \Rightarrow \dfrac{5}{12} \bigcirc \dfrac{4}{9}$

14
$\left(\dfrac{2}{3}, \dfrac{5}{6}\right) \Rightarrow \left(\dfrac{\square}{12}, \dfrac{\square}{12}\right) \Rightarrow \dfrac{2}{3} \bigcirc \dfrac{5}{6}$

15
$\left(\dfrac{3}{4}, \dfrac{7}{10}\right) \Rightarrow \left(\dfrac{\square}{20}, \dfrac{\square}{20}\right) \Rightarrow \dfrac{3}{4} \bigcirc \dfrac{7}{10}$

16
$\left(\dfrac{8}{15}, \dfrac{1}{6}\right) \Rightarrow \left(\dfrac{\square}{30}, \dfrac{\square}{30}\right) \Rightarrow \dfrac{8}{15} \bigcirc \dfrac{1}{6}$

[17-20] 크기를 바르게 비교한 것을 고르시오.

17
㉠ $1\dfrac{1}{4} < 1\dfrac{1}{5}$
㉡ $\dfrac{3}{10} < \dfrac{5}{14}$

18
㉠ $3\dfrac{5}{8} > 3\dfrac{4}{7}$
㉡ $\dfrac{11}{15} < \dfrac{7}{12}$

19
㉠ $\dfrac{7}{15} > \dfrac{9}{20}$
㉡ $\dfrac{8}{9} > \dfrac{10}{11}$

20
㉠ $0.8 < \dfrac{2}{3}$
㉡ $1.7 > 1\dfrac{8}{15}$

[21-24] 가장 큰 수를 고르시오.

21 $2\dfrac{1}{8}$, 2.4, $2\dfrac{3}{10}$

22 $\dfrac{7}{9}$, 0.6, $\dfrac{17}{36}$

23 $1\dfrac{5}{6}$, $1\dfrac{7}{12}$, $\dfrac{23}{24}$

24 $\dfrac{15}{18}$, $\dfrac{11}{15}$, $\dfrac{7}{12}$

응용 연산

[25-26] 거리가 가장 가까운 곳을 고르시오.

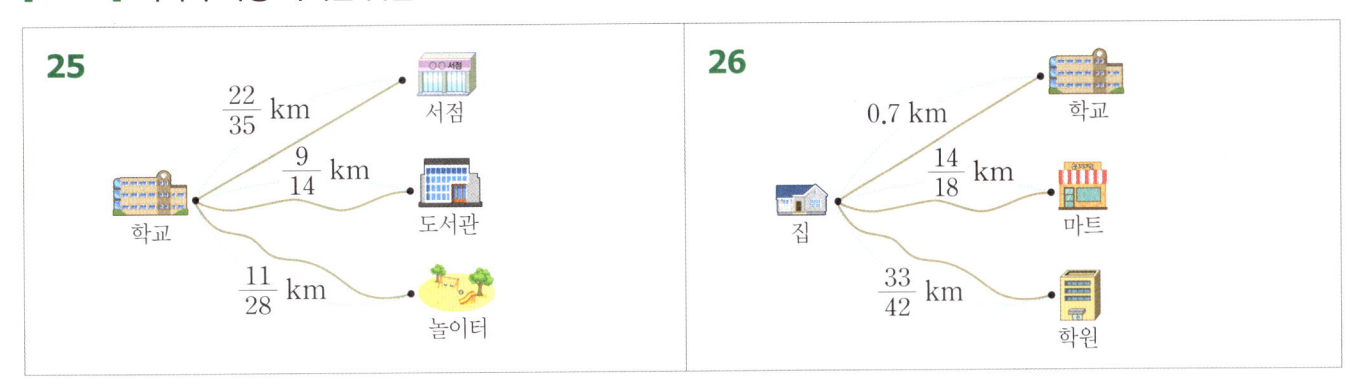

25

학교 — $\frac{22}{35}$ km — 서점
학교 — $\frac{9}{14}$ km — 도서관
학교 — $\frac{11}{28}$ km — 놀이터

26

집 — 0.7 km — 학교
집 — $\frac{14}{18}$ km — 마트
집 — $\frac{33}{42}$ km — 학원

[27-28] 두 수 중 더 큰 수를 고르시오.

27 $\frac{5}{14}$, 0.375

28 $\frac{35}{81}$, $\frac{10}{27}$

[29-30] 가장 큰 분수와 가장 작은 분수를 차례대로 쓰시오.

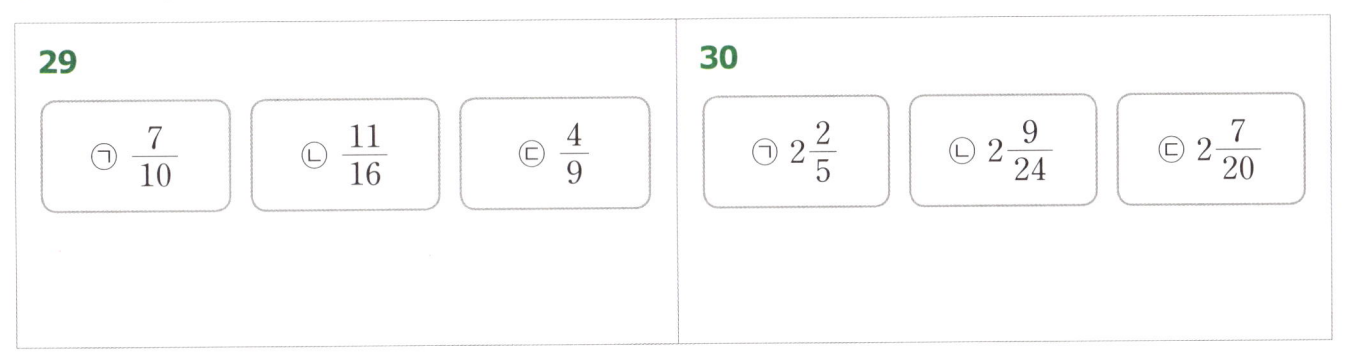

29

㉠ $\frac{7}{10}$　㉡ $\frac{11}{16}$　㉢ $\frac{4}{9}$

30

㉠ $2\frac{2}{5}$　㉡ $2\frac{9}{24}$　㉢ $2\frac{7}{20}$

[31-32] 분수와 소수의 크기를 비교하여 큰 수부터 차례대로 쓰시오.

31

$1\frac{3}{4}$　2.3　$\frac{4}{5}$　1.3

32

0.27　$\frac{3}{5}$　$2\frac{1}{4}$　2.1

재미있게, 우리 연산하자!

지금까지 우리는 <u>약분과 통분</u>을 배웠습니다.
힘들었을 텐데, 잘 풀었어요!

자, 그럼 마지막으로 지금까지 배운 약분과 통분을 모두 이용해서
주어진 분수와 같은 분수가 되도록 □ 안에 알맞은 수를 써볼까요?
ready~ start!

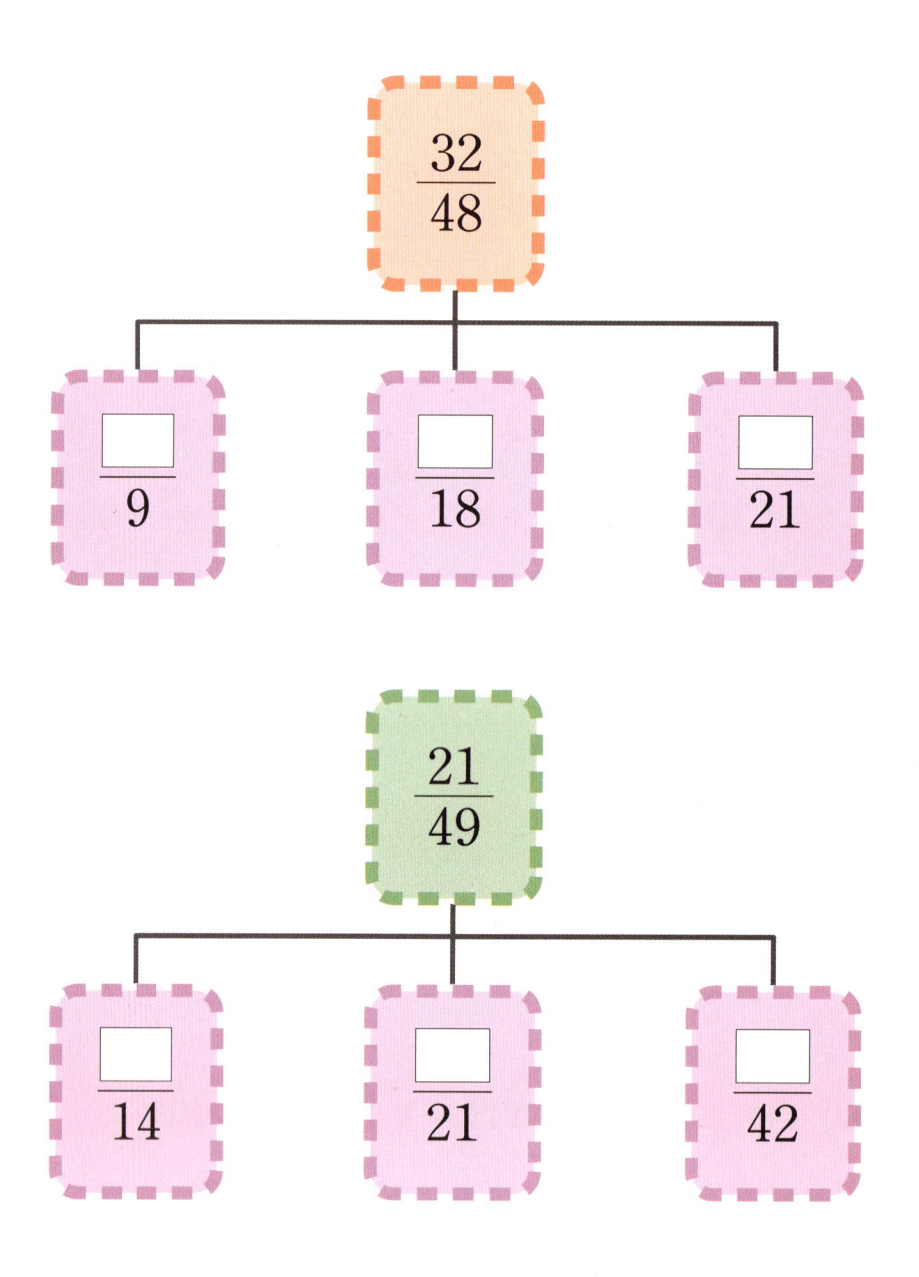

$$\frac{32}{48}$$

$$\frac{\square}{9} \quad \frac{\square}{18} \quad \frac{\square}{21}$$

$$\frac{21}{49}$$

$$\frac{\square}{14} \quad \frac{\square}{21} \quad \frac{\square}{42}$$

5

분수의 덧셈과 뺄셈

공부할 내용	공부한 날
12 분수의 덧셈 (1)	월 일
13 분수의 덧셈 (2)	월 일
14 분수의 뺄셈 (1)	월 일
15 분수의 뺄셈 (2)	월 일

12 분수의 덧셈 (1)

우리는 [수학 4-2] 1단원 분수의 덧셈과 뺄셈에서 $\dfrac{3}{7}+\dfrac{5}{7}$, $2\dfrac{2}{3}+4\dfrac{2}{3}$와 같이 분모가 같은 진분수와 대분수의 덧셈 방법을 알아보았습니다.

분모가 같은 분수의 덧셈은 다음과 같이 계산하였습니다.

- 진분수의 덧셈 $\dfrac{3}{7}+\dfrac{5}{7}=\dfrac{3+5}{7}=\dfrac{8}{7}=1\dfrac{1}{7}$
- 대분수의 덧셈 $2\dfrac{2}{3}+4\dfrac{2}{3}=(2+4)+\left(\dfrac{2}{3}+\dfrac{2}{3}\right)=6+1\dfrac{1}{3}=7\dfrac{1}{3}$

$2\dfrac{2}{3}+4\dfrac{2}{3}=\dfrac{8}{3}+\dfrac{14}{3}$
$=\dfrac{22}{3}=7\dfrac{1}{3}$

그렇다면 $\dfrac{1}{6}+\dfrac{3}{8}$, $2\dfrac{1}{4}+3\dfrac{2}{5}$와 같이 분모가 다른 진분수와 대분수의 덧셈은 어떻게 계산할까요?

분모가 다른 진분수의 덧셈은 두 분수를 통분하여 분모가 같은 분수로 고친 다음, 분자끼리 더합니다. 또한, 분모가 다른 대분수의 덧셈은 자연수는 자연수끼리, 분수는 분수끼리 더해서 계산하거나 대분수를 가분수로 고쳐서 계산합니다.

분모의 곱을 이용하여 통분
⇨ 공통분모를 구하기 간편

분모의 최소공배수를 이용하여 통분
⇨ 분자끼리의 덧셈이 간편

- 분모가 다른 진분수의 덧셈

  [방법 1] 분모의 곱으로 통분

  $\dfrac{1}{6}+\dfrac{3}{8}=\dfrac{1\times 8}{6\times 8}+\dfrac{3\times 6}{8\times 6}=\dfrac{8}{48}+\dfrac{18}{48}=\dfrac{26}{48}=\dfrac{13}{24}$

  [방법 2] 분모의 최소공배수로 통분

  $\dfrac{1}{6}+\dfrac{3}{8}=\dfrac{1\times 4}{6\times 4}+\dfrac{3\times 3}{8\times 3}=\dfrac{4}{24}+\dfrac{9}{24}=\dfrac{13}{24}$

- 분모가 다른 대분수의 덧셈: 자연수는 자연수끼리, 분수는 분수끼리 더해서 계산

  $2\dfrac{1}{4}+3\dfrac{2}{5}=2\dfrac{5}{20}+3\dfrac{8}{20}=(2+3)+\left(\dfrac{5}{20}+\dfrac{8}{20}\right)=5\dfrac{13}{20}$

$2\dfrac{1}{4}+3\dfrac{2}{5}=\dfrac{9}{4}+\dfrac{17}{5}$
$=\dfrac{45}{20}+\dfrac{68}{20}$
$=\dfrac{113}{20}=5\dfrac{13}{20}$

풍산자 비법

❶ 분모가 다른 진분수의 덧셈 ⇨ 분모의 곱이나 분모의 최소공배수로 통분하여 계산한다.

❷ 분모가 다른 대분수의 덧셈 ⇨ 자연수는 자연수끼리, 분수는 분수끼리 더해서 계산하거나 대분수를 가분수로 고쳐서 계산한다.

예제 따라 풀어보는 연산

예제 1 $\quad \dfrac{1}{3}+\dfrac{1}{2}=\dfrac{2}{6}+\dfrac{3}{6}=\dfrac{5}{6}$

01 $\dfrac{1}{7}+\dfrac{1}{4}=$

02 $\dfrac{1}{2}+\dfrac{1}{11}=$

03 $\dfrac{1}{8}+\dfrac{1}{5}=$

04 $\dfrac{2}{7}+\dfrac{1}{6}=$

예제 2 $\quad \dfrac{3}{10}+\dfrac{2}{5}=\dfrac{3}{10}+\dfrac{4}{10}=\dfrac{7}{10}$

05 $\dfrac{3}{8}+\dfrac{5}{12}=$

06 $\dfrac{2}{9}+\dfrac{1}{6}=$

07 $\dfrac{3}{4}+\dfrac{3}{16}=$

08 $\dfrac{5}{14}+\dfrac{4}{7}=$

예제 3 $\quad 1\dfrac{1}{6}+2\dfrac{1}{3}=1\dfrac{1}{6}+2\dfrac{2}{6}=(1+2)+\left(\dfrac{1}{6}+\dfrac{2}{6}\right)=3\dfrac{3}{6}=3\dfrac{1}{2}$

09 $1\dfrac{3}{4}+3\dfrac{1}{8}=$

10 $2\dfrac{2}{7}+1\dfrac{2}{3}=$

11 $1\dfrac{4}{9}+2\dfrac{1}{12}=$

12 $2\dfrac{1}{6}+2\dfrac{1}{5}=$

5. 분수의 덧셈과 뺄셈

스스로 풀어보는 연산

13 $\dfrac{2}{3}+\dfrac{1}{7}=\dfrac{14}{\square}+\dfrac{3}{\square}=\dfrac{17}{\square}$

14 $\dfrac{1}{4}+\dfrac{1}{12}=\dfrac{3}{\square}+\dfrac{1}{\square}=\dfrac{4}{\square}=\dfrac{1}{\square}$

15 $\dfrac{4}{9}+\dfrac{1}{4}=\dfrac{16}{\square}+\dfrac{9}{\square}=\dfrac{25}{\square}$

16 $\dfrac{5}{6}+\dfrac{1}{15}=\dfrac{25}{\square}+\dfrac{2}{\square}=\dfrac{27}{\square}=\dfrac{9}{\square}$

17 $\dfrac{3}{16}+\dfrac{5}{8}=\dfrac{3}{\square}+\dfrac{10}{\square}=\dfrac{13}{\square}$

18 $\dfrac{7}{10}+\dfrac{4}{15}=\dfrac{21}{\square}+\dfrac{8}{\square}=\dfrac{29}{\square}$

19 $\dfrac{2}{5}+\dfrac{1}{12}=\dfrac{24}{\square}+\dfrac{5}{\square}=\dfrac{29}{\square}$

20 $\dfrac{3}{16}+\dfrac{1}{24}=\dfrac{9}{\square}+\dfrac{2}{\square}=\dfrac{11}{\square}$

21 $1\dfrac{2}{7}+2\dfrac{1}{4}=$

① 자연수끼리 더한 값 ⇨
② 분수끼리 더한 값 ⇨
①＋②＝

22 $1\dfrac{1}{3}+3\dfrac{1}{4}=$

① 자연수끼리 더한 값 ⇨
② 분수끼리 더한 값 ⇨
①＋②＝

23 $2\dfrac{1}{6}+1\dfrac{5}{8}=$

① 자연수끼리 더한 값 ⇨
② 분수끼리 더한 값 ⇨
①＋②＝

24 $1\dfrac{2}{9}+2\dfrac{1}{5}=$

① 자연수끼리 더한 값 ⇨
② 분수끼리 더한 값 ⇨
①＋②＝

25 $2\dfrac{1}{8}+2\dfrac{5}{12}=$

① 자연수끼리 더한 값 ⇨
② 분수끼리 더한 값 ⇨
①＋②＝

26 $2\dfrac{3}{16}+1\dfrac{7}{12}=$

① 자연수끼리 더한 값 ⇨
② 분수끼리 더한 값 ⇨
①＋②＝

응용 연산

[27-28] 다음을 계산하시오.

27 $\dfrac{2}{5} + \dfrac{3}{10}$

28 $\dfrac{5}{7} + \dfrac{2}{21}$

[29-30] 계산 결과를 비교하여 ○ 안에 >, =, <를 알맞게 써넣으시오.

29 $1\dfrac{7}{16} + 2\dfrac{1}{4} \bigcirc 2\dfrac{3}{8} + 1\dfrac{5}{32}$

30 $\dfrac{5}{9} + 1\dfrac{3}{10} \bigcirc \dfrac{8}{15} + 1\dfrac{1}{6}$

[31-32] 다음을 계산하시오.

31 $\dfrac{2}{9} \rightarrow \boxed{+\dfrac{7}{12}} \rightarrow \bigcirc$

32 $1\dfrac{4}{15} \rightarrow \boxed{+2\dfrac{1}{3}} \rightarrow \bigcirc$

[33-34] 빈 곳에 알맞은 수를 써넣으시오.

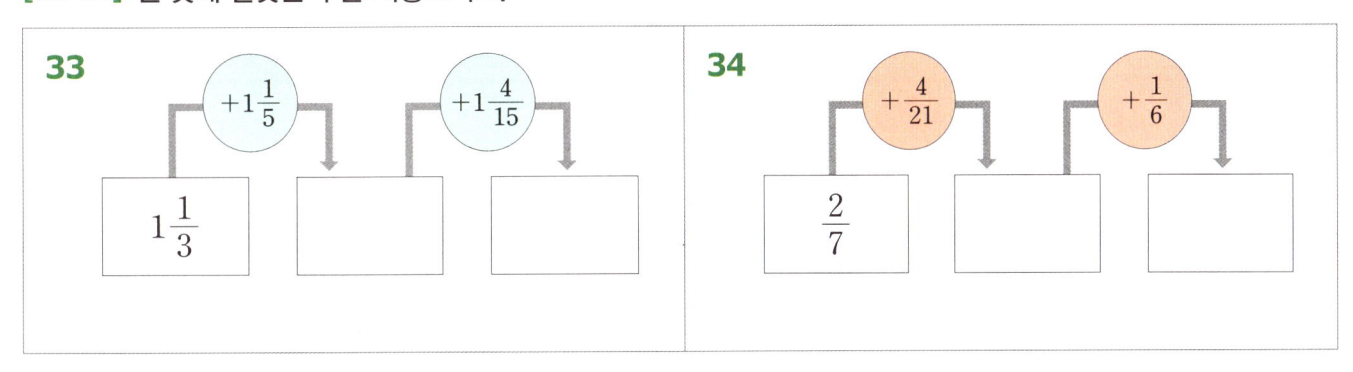

33 $\boxed{1\dfrac{1}{3}} \xrightarrow{+1\dfrac{1}{5}} \boxed{} \xrightarrow{+1\dfrac{4}{15}} \boxed{}$

34 $\boxed{\dfrac{2}{7}} \xrightarrow{+\dfrac{4}{21}} \boxed{} \xrightarrow{+\dfrac{1}{6}} \boxed{}$

13 분수의 덧셈 (2)

우리는 앞 단원에서 $\frac{1}{6}+\frac{3}{8}$, $2\frac{1}{4}+1\frac{2}{5}$와 같이 분모가 다른 진분수와 대분수의 덧셈 방법을 알아보았습니다. 앞 단원에서 배운 덧셈은 받아올림이 없는 덧셈이고, 다음과 같이 계산하였습니다.

- $\frac{1}{6}+\frac{3}{8}=\frac{1\times 4}{6\times 4}+\frac{3\times 3}{8\times 3}=\frac{4}{24}+\frac{9}{24}=\frac{13}{24}$
- $2\frac{1}{4}+1\frac{2}{5}=2\frac{5}{20}+1\frac{8}{20}=(2+1)+\left(\frac{5}{20}+\frac{8}{20}\right)=3\frac{13}{20}$

$\frac{1}{6}+\frac{3}{8}=\frac{1\times 8}{6\times 8}+\frac{3\times 6}{8\times 6}$
$=\frac{8}{48}+\frac{18}{48}$
$=\frac{26}{48}=\frac{13}{24}$

$2\frac{1}{4}+1\frac{2}{5}=\frac{9}{4}+\frac{7}{5}$
$=\frac{45}{20}+\frac{28}{20}$
$=\frac{73}{20}=3\frac{13}{20}$

그렇다면 $\frac{3}{4}+\frac{5}{6}$, $2\frac{1}{2}+1\frac{2}{3}$와 같이 받아올림이 있는 분모가 다른 진분수와 대분수의 덧셈은 어떻게 계산할까요?

받아올림이 있는 분수의 덧셈도 받아올림이 없는 분수의 덧셈과 마찬가지로 <mark>분모가 다른 진분수의 덧셈은 두 분수를 통분</mark>하여 분모가 같은 분수로 고친 다음, 분자끼리 더합니다.

또한, <mark>분모가 다른 대분수의 덧셈은 자연수는 자연수끼리, 분수는 분수끼리</mark> 더해서 계산하거나 <mark>대분수를 가분수로</mark> 고쳐서 계산합니다.

- 분모가 다른 진분수의 덧셈

    [방법 1] 분모의 곱으로 통분

    $\frac{3}{4}+\frac{5}{6}=\frac{3\times 6}{4\times 6}+\frac{5\times 4}{6\times 4}=\frac{18}{24}+\frac{20}{24}=\frac{38}{24}=1\frac{14}{24}=1\frac{7}{12}$

    [방법 2] 분모의 최소공배수로 통분

    $\frac{3}{4}+\frac{5}{6}=\frac{3\times 3}{4\times 3}+\frac{5\times 2}{6\times 2}=\frac{9}{12}+\frac{10}{12}=\frac{19}{12}=1\frac{7}{12}$

- 분모가 다른 대분수의 덧셈: 자연수는 자연수끼리, 분수는 분수끼리 더해서 계산

    $2\frac{1}{2}+1\frac{2}{3}=2\frac{3}{6}+1\frac{4}{6}=(2+1)+\left(\frac{3}{6}+\frac{4}{6}\right)=3+\frac{7}{6}=3+1\frac{1}{6}=4\frac{1}{6}$

받아올림이 있는 분수의 덧셈에서 계산 결과가 가분수일 때
⇨ 대분수로 고쳐서 나타내기

$2\frac{1}{2}+1\frac{2}{3}=\frac{5}{2}+\frac{5}{3}$
$=\frac{15}{6}+\frac{10}{6}$
$=\frac{25}{6}=4\frac{1}{6}$

풍산자 비법

❶ 받아올림이 있는 분모가 다른 진분수의 덧셈
  ⇨ 분모의 곱이나 분모의 최소공배수로 통분하여 계산한다.

❷ 받아올림이 있는 분모가 다른 대분수의 덧셈
  ⇨ 자연수는 자연수끼리, 분수는 분수끼리 더해서 계산하거나 대분수를 가분수로 고쳐서 계산한다.

예제 따라 풀어보는 연산

예제 1 $\frac{2}{3}+\frac{4}{5}=\frac{10}{15}+\frac{12}{15}=\frac{22}{15}=1\frac{7}{15}$

01 $\frac{5}{6}+\frac{3}{5}=$

02 $\frac{5}{7}+\frac{7}{8}=$

03 $\frac{3}{4}+\frac{2}{5}=$

04 $\frac{11}{12}+\frac{6}{7}=$

예제 2 $\frac{5}{8}+\frac{5}{6}=\frac{15}{24}+\frac{20}{24}=\frac{35}{24}=1\frac{11}{24}$

05 $\frac{7}{9}+\frac{5}{12}=$

06 $\frac{4}{5}+\frac{13}{15}=$

07 $\frac{5}{8}+\frac{19}{24}=$

08 $\frac{17}{18}+\frac{20}{27}=$

예제 3 $1\frac{3}{4}+2\frac{1}{3}=\frac{7}{4}+\frac{7}{3}=\frac{21}{12}+\frac{28}{12}=\frac{49}{12}=4\frac{1}{12}$

09 $1\frac{2}{5}+1\frac{6}{7}=$

10 $1\frac{5}{8}+1\frac{7}{10}=$

11 $2\frac{5}{6}+2\frac{4}{9}=$

12 $3\frac{4}{7}+2\frac{9}{14}=$

스스로 풀어보는 연산

13 $\dfrac{3}{5} + \dfrac{9}{7} =$

14 $\dfrac{7}{10} + \dfrac{2}{3} =$

15 $\dfrac{1}{4} + \dfrac{11}{9} =$

16 $\dfrac{5}{14} + \dfrac{8}{5} =$

17 $\dfrac{7}{12} + \dfrac{9}{16} =$

18 $\dfrac{9}{14} + \dfrac{3}{8} =$

19 $\dfrac{11}{24} + \dfrac{9}{16} =$

20 $\dfrac{16}{25} + \dfrac{13}{10} =$

21 $1\dfrac{5}{6} + 1\dfrac{1}{4} =$

22 $2\dfrac{2}{3} + 3\dfrac{3}{5} =$

23 $3\dfrac{8}{9} + 1\dfrac{7}{10} =$

24 $2\dfrac{11}{15} + 1\dfrac{4}{9} =$

25 $4\dfrac{5}{12} + 3\dfrac{7}{8} =$
① 자연수끼리 더한 값 ⇨
② 분수끼리 더한 값 ⇨
①+②=

26 $2\dfrac{13}{18} + 2\dfrac{5}{6} =$
① 자연수끼리 더한 값 ⇨
② 분수끼리 더한 값 ⇨
①+②=

응용 연산

[27-28] 계산 결과를 비교하여 ○ 안에 >, =, <를 알맞게 써넣으시오.

27 $3\frac{1}{2}+1\frac{7}{9}$ ○ $2\frac{1}{4}+1\frac{9}{10}$

28 $1\frac{9}{16}+2\frac{3}{4}$ ○ $1\frac{5}{6}+2\frac{3}{7}$

[29-30] 가장 큰 분수와 가장 작은 분수의 합을 구하시오.

29 $2\frac{6}{11}$, $1\frac{4}{5}$, $2\frac{2}{3}$

30 $3\frac{7}{10}$, $1\frac{9}{14}$, $1\frac{4}{7}$

[31-32] 다음을 계산하시오.

31 $\frac{5}{8}$ → $+\frac{11}{14}$ → ○

32 $2\frac{11}{16}$ → $+1\frac{7}{12}$ → ○

[33-34] 빈 곳에 알맞은 수를 써넣으시오.

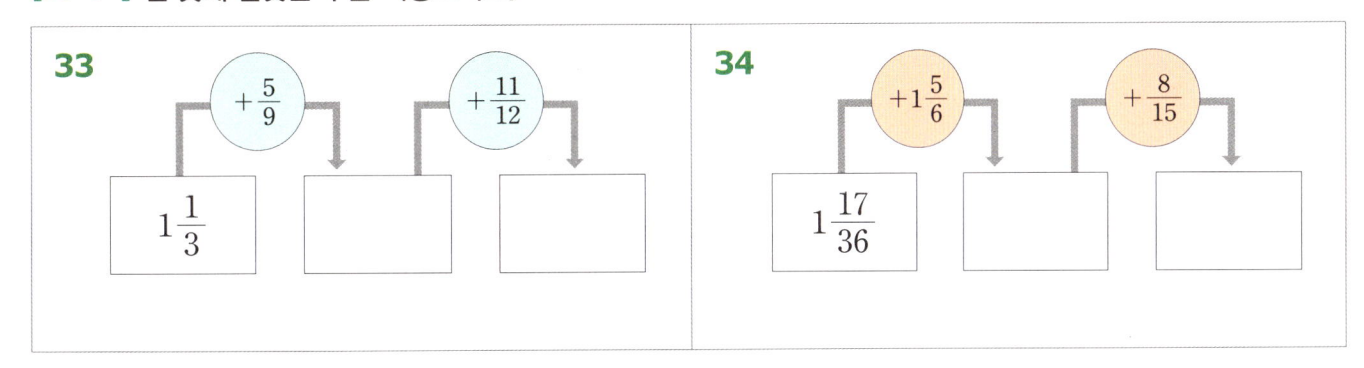

33 $1\frac{1}{3}$ → $+\frac{5}{9}$ → □ → $+\frac{11}{12}$ → □

34 $1\frac{17}{36}$ → $+1\frac{5}{6}$ → □ → $+\frac{8}{15}$ → □

14 분수의 뺄셈 (1)

우리는 [수학 4-2] 1단원 분수의 덧셈과 뺄셈에서 $\frac{5}{6}-\frac{3}{6}$, $3\frac{4}{5}-2\frac{2}{5}$, $3\frac{1}{3}-1\frac{2}{3}$ 와 같이 분모가 같은 진분수와 대분수의 뺄셈 방법을 알아보았습니다. 분모가 같은 분수의 뺄셈은 다음과 같이 계산하였습니다.

- 진분수의 뺄셈 $\frac{5}{6}-\frac{3}{6}=\frac{5-3}{6}=\frac{2}{6}=\frac{1}{3}$
- 대분수의 뺄셈 $3\frac{4}{5}-2\frac{2}{5}=(3-2)+\left(\frac{4}{5}-\frac{2}{5}\right)=1+\frac{2}{5}=1\frac{2}{5}$

$3\frac{1}{3}-1\frac{2}{3}=\frac{10}{3}-\frac{5}{3}$
$=\frac{5}{3}=1\frac{2}{3}$

그렇다면 $\frac{1}{4}-\frac{1}{6}$, $2\frac{5}{8}-1\frac{1}{6}$ 과 같이 분모가 다른 진분수와 대분수의 뺄셈은 어떻게 계산할까요?

분모가 다른 진분수의 뺄셈은 두 분수를 통분하여 분모가 같은 분수로 고친 다음, 분자끼리 뺍니다. 또한, 분모가 다른 대분수의 뺄셈은 자연수는 자연수끼리, 분수는 분수끼리 빼서 계산하거나 대분수를 가분수로 고쳐서 계산합니다.

분모의 곱을 이용하여 통분
⇨ 공통분모를 구하기 간편

분모의 최소공배수를 이용하여 통분
⇨ 분자끼리의 뺄셈이 간편

- 분모가 다른 진분수의 뺄셈

  [방법 1] 분모의 곱으로 통분
  $$\frac{1}{4}-\frac{1}{6}=\frac{1\times 6}{4\times 6}-\frac{1\times 4}{6\times 4}=\frac{6}{24}-\frac{4}{24}=\frac{2}{24}=\frac{1}{12}$$

  [방법 2] 분모의 최소공배수로 통분
  $$\frac{1}{4}-\frac{1}{6}=\frac{1\times 3}{4\times 3}-\frac{1\times 2}{6\times 2}=\frac{3}{12}-\frac{2}{12}=\frac{1}{12}$$

- 분모가 다른 대분수의 뺄셈: 자연수는 자연수끼리, 분수는 분수끼리 빼서 계산
  $$2\frac{5}{8}-1\frac{1}{6}=2\frac{15}{24}-1\frac{4}{24}=(2-1)+\left(\frac{15}{24}-\frac{4}{24}\right)=1+\frac{11}{24}=1\frac{11}{24}$$

$2\frac{5}{8}-1\frac{1}{6}=\frac{21}{8}-\frac{7}{6}$
$=\frac{63}{24}-\frac{28}{24}$
$=\frac{35}{24}=1\frac{11}{24}$

풍산자 비법

❶ 분모가 다른 진분수의 뺄셈 ⇨ 분모의 곱이나 분모의 최소공배수로 통분하여 계산한다.
❷ 분모가 다른 대분수의 뺄셈 ⇨ 자연수는 자연수끼리, 분수는 분수끼리 빼서 계산하거나 대분수를 가분수로 고쳐서 계산한다.

예제 따라 풀어보는 연산

예제 1 $\quad \dfrac{1}{3} - \dfrac{1}{5} = \dfrac{5}{15} - \dfrac{3}{15} = \dfrac{2}{15}$

01 $\dfrac{1}{2} - \dfrac{1}{7} =$

02 $\dfrac{1}{5} - \dfrac{1}{6} =$

03 $\dfrac{2}{3} - \dfrac{3}{5} =$

04 $\dfrac{7}{8} - \dfrac{4}{9} =$

예제 2 $\quad \dfrac{3}{4} - \dfrac{1}{6} = \dfrac{9}{12} - \dfrac{2}{12} = \dfrac{7}{12}$

05 $\dfrac{1}{4} - \dfrac{1}{10} =$

06 $\dfrac{1}{8} - \dfrac{1}{12} =$

07 $\dfrac{5}{7} - \dfrac{3}{14} =$

08 $\dfrac{11}{15} - \dfrac{3}{10} =$

예제 3 $\quad 2\dfrac{5}{6} - 1\dfrac{1}{2} = 2\dfrac{5}{6} - 1\dfrac{3}{6} = (2-1) + \left(\dfrac{5}{6} - \dfrac{3}{6}\right) = 1\dfrac{2}{6} = 1\dfrac{1}{3}$

09 $1\dfrac{6}{7} - 1\dfrac{1}{3} =$

10 $2\dfrac{3}{4} - 1\dfrac{1}{5} =$

11 $2\dfrac{7}{9} - 2\dfrac{1}{6} =$

12 $2\dfrac{5}{12} - 2\dfrac{3}{10} =$

5. 분수의 덧셈과 뺄셈

스스로 풀어보는 연산

13 $\dfrac{1}{3} - \dfrac{1}{9} = \dfrac{3}{\square} - \dfrac{1}{\square} = \dfrac{2}{\square}$

14 $\dfrac{1}{4} - \dfrac{1}{16} = \dfrac{4}{\square} - \dfrac{1}{\square} = \dfrac{3}{\square}$

15 $\dfrac{3}{5} - \dfrac{1}{10} = \dfrac{6}{\square} - \dfrac{1}{\square} = \dfrac{5}{\square} = \dfrac{1}{\square}$

16 $\dfrac{7}{12} - \dfrac{3}{8} = \dfrac{14}{\square} - \dfrac{9}{\square} = \dfrac{5}{\square}$

17 $\dfrac{15}{17} - \dfrac{27}{34} = \dfrac{30}{\square} - \dfrac{27}{\square} = \dfrac{3}{\square}$

18 $\dfrac{13}{15} - \dfrac{3}{20} = \dfrac{52}{\square} - \dfrac{9}{\square} = \dfrac{43}{\square}$

19 $\dfrac{9}{14} - \dfrac{5}{21} = \dfrac{27}{\square} - \dfrac{10}{\square} = \dfrac{17}{\square}$

20 $\dfrac{19}{25} - \dfrac{3}{10} = \dfrac{38}{\square} - \dfrac{15}{\square} = \dfrac{23}{\square}$

21 $2\dfrac{4}{5} - 1\dfrac{1}{3} =$

① 자연수끼리 뺀 값 ⇨

② 분수끼리 뺀 값 ⇨

①+② ＝

22 $2\dfrac{4}{7} - 1\dfrac{1}{4} =$

① 자연수끼리 뺀 값 ⇨

② 분수끼리 뺀 값 ⇨

①+② ＝

23 $3\dfrac{7}{9} - 1\dfrac{2}{5} =$

① 자연수끼리 뺀 값 ⇨

② 분수끼리 뺀 값 ⇨

①+② ＝

24 $3\dfrac{9}{10} - 2\dfrac{1}{6} =$

① 자연수끼리 뺀 값 ⇨

② 분수끼리 뺀 값 ⇨

①+② ＝

25 $4\dfrac{11}{12} - 2\dfrac{5}{18} =$

① 자연수끼리 뺀 값 ⇨

② 분수끼리 뺀 값 ⇨

①+② ＝

26 $4\dfrac{17}{20} - 2\dfrac{5}{6} =$

① 자연수끼리 뺀 값 ⇨

② 분수끼리 뺀 값 ⇨

①+② ＝

응용 연산

[27-28] 다음을 계산하시오.

27 $\dfrac{1}{2} - \dfrac{5}{12}$

28 $\dfrac{4}{5} - \dfrac{3}{10}$

[29-30] 계산 결과를 비교하여 ○ 안에 >, =, <를 알맞게 써넣으시오.

29 $3\dfrac{3}{4} - 1\dfrac{4}{9}$ ○ $6\dfrac{1}{4} - 4\dfrac{1}{6}$

30 $4\dfrac{7}{8} - 1\dfrac{1}{4}$ ○ $5\dfrac{9}{16} - 2\dfrac{3}{8}$

[31-32] 다음을 계산하시오.

31 $2\dfrac{5}{9}$ → $\boxed{-2\dfrac{7}{15}}$ → ○

32 $6\dfrac{5}{8}$ → $\boxed{-1\dfrac{1}{2}}$ → ○

[33-34] 다음을 계산하시오.

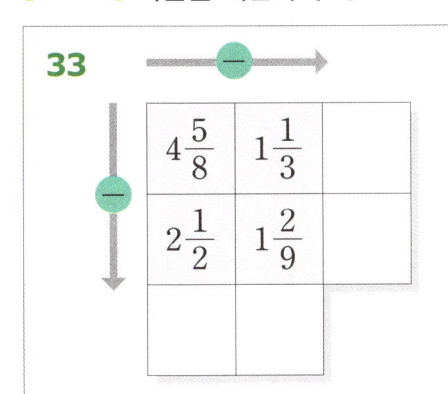

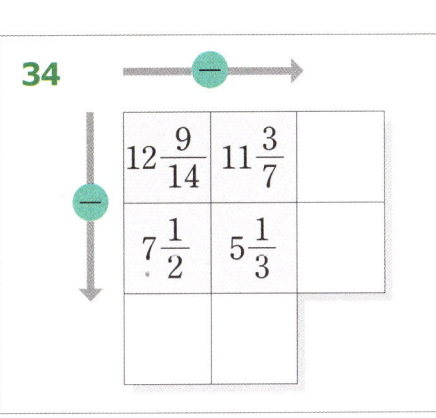

33

$4\dfrac{5}{8}$	$1\dfrac{1}{3}$
$2\dfrac{1}{2}$	$1\dfrac{2}{9}$

34

$12\dfrac{9}{14}$	$11\dfrac{3}{7}$
$7\dfrac{1}{2}$	$5\dfrac{1}{3}$

15 분수의 뺄셈 (2)

우리는 앞 단원에서 $\dfrac{1}{4} - \dfrac{1}{6}$, $2\dfrac{5}{8} - 1\dfrac{1}{6}$과 같이 분모가 다른 진분수와 대분수의 뺄셈 방법을 알아보았습니다. 앞 단원에서 배운 뺄셈은 받아내림이 없는 뺄셈이고, 다음과 같이 계산하였습니다.

- 분모가 다른 진분수의 뺄셈

  $\dfrac{1}{4} - \dfrac{1}{6} = \dfrac{1 \times 6}{4 \times 6} - \dfrac{1 \times 4}{6 \times 4} = \dfrac{6}{24} - \dfrac{4}{24} = \dfrac{2}{24} = \dfrac{1}{12}$

- 분모가 다른 대분수의 뺄셈

  $2\dfrac{5}{8} - 1\dfrac{1}{6} = 2\dfrac{15}{24} - 1\dfrac{4}{24} = (2-1) + \left(\dfrac{15}{24} - \dfrac{4}{24}\right) = 1\dfrac{11}{24}$

$\dfrac{1}{4} - \dfrac{1}{6} = \dfrac{1 \times 3}{4 \times 3} - \dfrac{1 \times 2}{6 \times 2}$
$= \dfrac{3}{12} - \dfrac{2}{12} = \dfrac{1}{12}$

$2\dfrac{5}{8} - 1\dfrac{1}{6} = \dfrac{21}{8} - \dfrac{7}{6}$
$= \dfrac{63}{24} - \dfrac{28}{24}$
$= \dfrac{35}{24} = 1\dfrac{11}{24}$

그렇다면 $3\dfrac{1}{2} - 1\dfrac{2}{3}$와 같이 받아내림이 있는 분모가 다른 대분수의 뺄셈은 어떻게 계산할까요?

받아내림이 있는 분모가 다른 대분수의 뺄셈은 자연수는 자연수끼리, 분수는 분수끼리 빼서 계산합니다. 이때 분수 부분의 뺄셈이 되지 않으므로 <mark>자연수 부분에서 1을 받아내림하여 계산</mark>합니다.

또한, 받아내림이 있는 분모가 다른 대분수의 뺄셈은 대분수를 가분수로 고쳐서 계산할 수도 있습니다.

[방법 1] 자연수는 자연수끼리, 분수는 분수끼리 빼서 계산

$3\dfrac{1}{2} - 1\dfrac{2}{3} = 3\dfrac{3}{6} - 1\dfrac{4}{6} = 2\dfrac{9}{6} - 1\dfrac{4}{6} = (2-1) + \left(\dfrac{9}{6} - \dfrac{4}{6}\right) = 1 + \dfrac{5}{6} = 1\dfrac{5}{6}$

[방법 2] 대분수를 가분수로 고쳐서 계산

$3\dfrac{1}{2} - 1\dfrac{2}{3} = \dfrac{7}{2} - \dfrac{5}{3} = \dfrac{21}{6} - \dfrac{10}{6} = \dfrac{11}{6} = 1\dfrac{5}{6}$

> **풍산자 비법**
> 받아내림이 있는 분모가 다른 대분수의 뺄셈에서 분수 부분끼리 뺄 수 없으면
> ⇨ 자연수 부분에서 1을 받아내림하여 계산한다.

예제 따라 풀어보는 연산

예제 1
$$4\frac{1}{4}-1\frac{2}{3}=4\frac{3}{12}-1\frac{8}{12}=3\frac{15}{12}-1\frac{8}{12}=(3-1)+\left(\frac{15}{12}-\frac{8}{12}\right)=2+\frac{7}{12}=2\frac{7}{12}$$

01 $4\dfrac{1}{9}-2\dfrac{2}{3}=$

02 $5\dfrac{1}{5}-2\dfrac{7}{10}=$

03 $3\dfrac{3}{14}-1\dfrac{5}{7}=$

04 $3\dfrac{1}{12}-1\dfrac{7}{15}=$

05 $5\dfrac{3}{8}-3\dfrac{3}{4}=$

06 $6\dfrac{2}{7}-3\dfrac{1}{2}=$

예제 2
$$3\frac{1}{5}-1\frac{1}{2}=\frac{16}{5}-\frac{3}{2}=\frac{32}{10}-\frac{15}{10}=\frac{17}{10}=1\frac{7}{10}$$

07 $3\dfrac{1}{6}-1\dfrac{1}{3}=$

08 $3\dfrac{1}{7}-1\dfrac{1}{4}=$

09 $3\dfrac{1}{10}-1\dfrac{1}{5}=$

10 $3\dfrac{1}{16}-1\dfrac{1}{8}=$

11 $5\dfrac{3}{10}-2\dfrac{11}{15}=$

12 $6\dfrac{5}{18}-3\dfrac{7}{9}=$

5. 분수의 덧셈과 뺄셈

스스로 풀어보는 연산

13 $3\frac{1}{5} - 1\frac{3}{4} =$

14 $4\frac{3}{20} - 2\frac{5}{8} =$

15 $5\frac{2}{7} - 4\frac{5}{9} =$

16 $2\frac{4}{39} - 1\frac{11}{13} =$

17 $1\frac{1}{2} - \frac{3}{5} =$

18 $1\frac{1}{18} - \frac{5}{6} =$

19 $1\frac{4}{21} - \frac{4}{7} =$

20 $1\frac{2}{5} - \frac{7}{10} =$

21 $4\frac{1}{6} - 3\frac{4}{5} =$

22 $3\frac{3}{8} - 2\frac{11}{12} =$

23 $6\frac{1}{8} - 2\frac{9}{20} =$

24 $9\frac{1}{9} - 3\frac{7}{12} =$

25 $1\frac{2}{3} - \frac{2}{9} - \frac{3}{4} =$

26 $3\frac{1}{12} - 1\frac{3}{16} - \frac{1}{6} =$

응용 연산

[27-28] 조건에 맞는 대분수를 구하시오.

27 $3\frac{3}{4}$보다 $2\frac{5}{6}$ 작은 수

28 $7\frac{1}{4}$보다 $3\frac{7}{10}$ 작은 수

[29-30] 다음을 계산하시오.

29 $5\frac{11}{32} \rightarrow \boxed{-2\frac{5}{8}} \rightarrow \bigcirc$

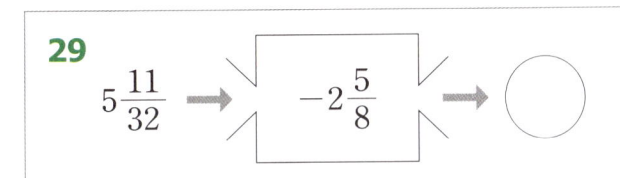

30 $2\frac{4}{7} \rightarrow \boxed{-1\frac{3}{5}} \rightarrow \bigcirc$

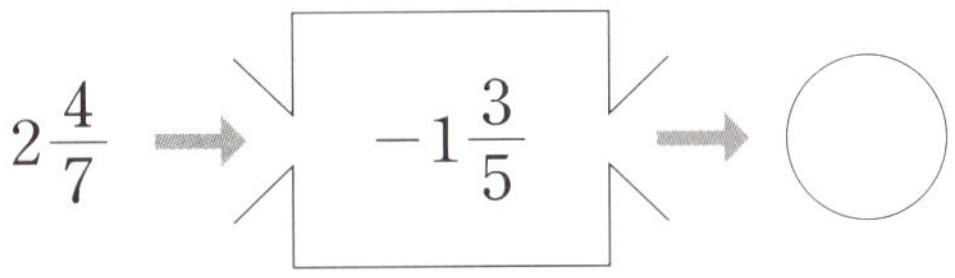

[31-32] 빈 곳에 알맞은 수를 써넣으시오.

31 $10\frac{2}{3} \xrightarrow{-1\frac{4}{9}} \Box \xrightarrow{-3\frac{5}{12}} \Box$

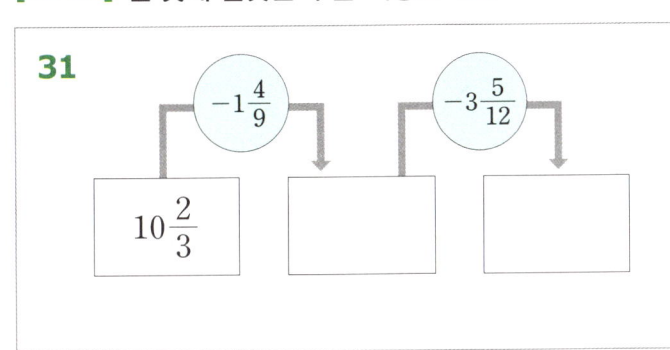

32 $7\frac{4}{5} \xrightarrow{-2\frac{8}{15}} \Box \xrightarrow{-2\frac{3}{10}} \Box$

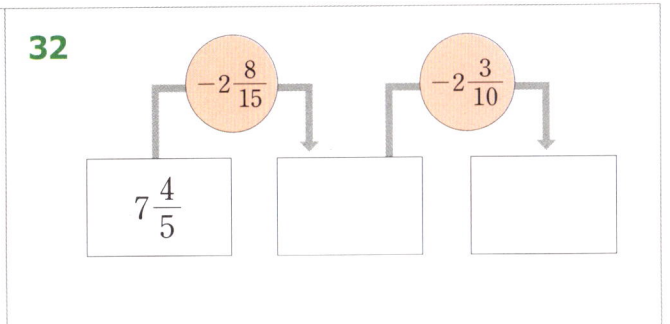

[33-34] 계산 결과가 큰 것부터 차례대로 기호를 쓰시오.

33
- ㉠ $6\frac{7}{16} - 1\frac{1}{4}$
- ㉡ $7\frac{1}{3} - 2\frac{2}{5}$
- ㉢ $5\frac{1}{8} - 1\frac{7}{12}$
- ㉣ $5\frac{4}{15} - \frac{5}{6}$

34
- ㉠ $3\frac{4}{7} - 1\frac{1}{3}$
- ㉡ $5\frac{4}{5} - 2\frac{1}{2}$
- ㉢ $3\frac{1}{4} - 1\frac{5}{18}$
- ㉣ $2\frac{5}{6} - \frac{8}{9}$

재미있게, 우리 연산하자!

지금까지 우리는 **분수의 덧셈과 뺄셈**을 배웠습니다.
힘들었을 텐데, 잘 풀었어요!

자, 그럼 마지막으로 지금까지 배운 분수의 덧셈과 뺄셈을 모두 이용해서 사다리타기 게임을 해 볼까요?
㉠, ㉡, ㉢, ㉣에 알맞은 수를 구해보세요.
ready~ start!

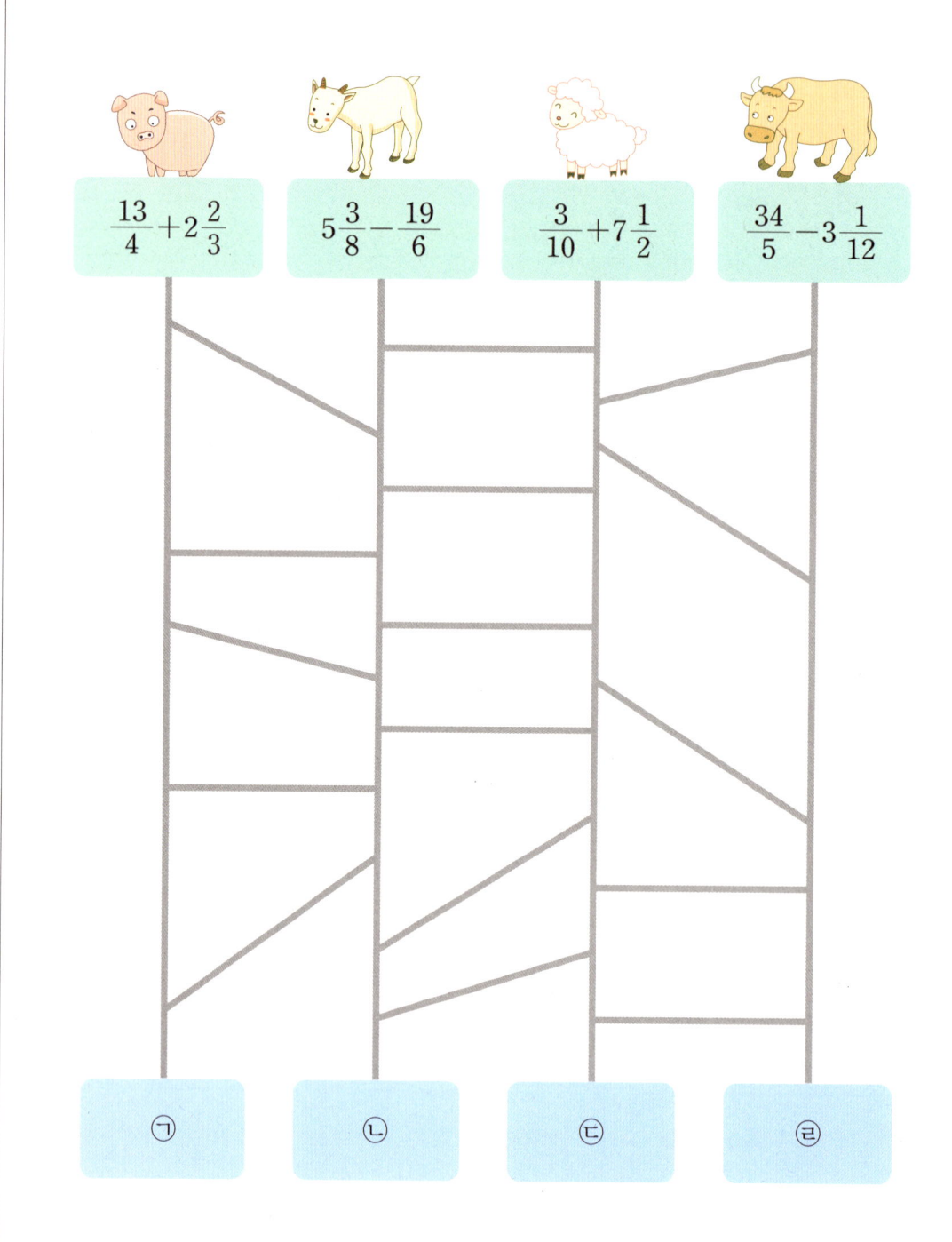

$\frac{13}{4} + 2\frac{2}{3}$ $5\frac{3}{8} - \frac{19}{6}$ $\frac{3}{10} + 7\frac{1}{2}$ $\frac{34}{5} - 3\frac{1}{12}$

㉠   ㉡   ㉢   ㉣

6

다각형의 둘레와 넓이

공부할 내용	공부한 날
16 다각형의 둘레	월 일
17 넓이의 단위	월 일
18 직사각형의 넓이	월 일
19 평행사변형과 삼각형의 넓이	월 일
20 마름모와 사다리꼴의 넓이	월 일

16 다각형의 둘레

우리는 [수학 4-2] 6단원 다각형에서 선분으로만 둘러싸인 도형을 다각형이라 하고, 다각형은 변의 수에 따라 변이 6개이면 육각형, 변이 7개이면 칠각형, 변이 8개이면 팔각형 등으로 부른다는 것을 알아보았습니다.

변의 길이가 모두 같고 각의 크기가 모두 같은 다각형을 정다각형이라고 합니다.

정삼각형　　정사각형　　정오각형　　정육각형

그렇다면 정다각형이나 사각형의 둘레는 어떻게 구할까요?

정다각형은 모든 변의 길이가 같으므로 둘레는 정다각형의 한 변의 길이를 변의 수만큼 곱해 주면 됩니다. 즉, ==(정다각형의 둘레)=(한 변의 길이)×(변의 수)==입니다.

또한, ==사각형의 둘레는 네 변의 길이를 모두 더하면== 됩니다.

이때 각 사각형의 성질을 이용하면 다음과 같이 쉽게 구할 수 있습니다.

(직사각형의 둘레)=(가로)×2+(세로)×2={(가로)+(세로)}×2

(평행사변형의 둘레)=(한 변의 길이)×2+(다른 한 변의 길이)×2
　　　　　　　　＝{(한 변의 길이)+(다른 한 변의 길이)}×2

(마름모의 둘레)=(한 변의 길이)×4

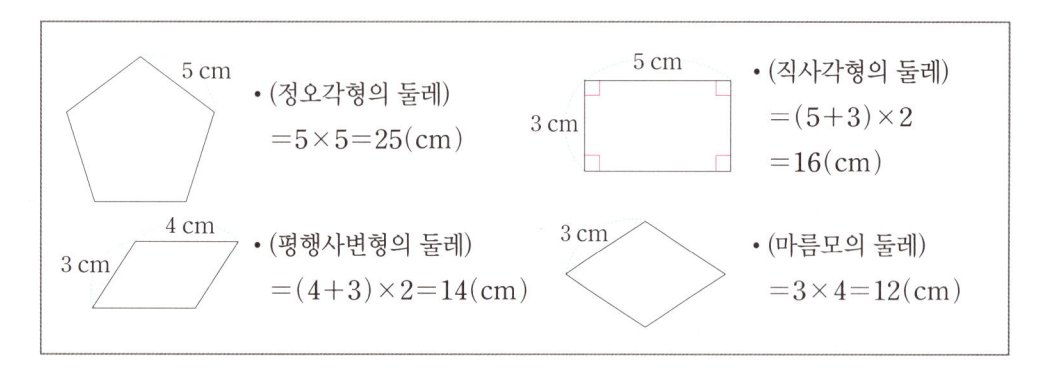

- (정오각형의 둘레)
  =5×5=25(cm)
- (평행사변형의 둘레)
  =(4+3)×2=14(cm)
- (직사각형의 둘레)
  =(5+3)×2
  =16(cm)
- (마름모의 둘레)
  =3×4=12(cm)

직사각형
⇨ 마주 보는 변의 길이가 각각 같다

평행사변형
⇨ 마주 보는 변의 길이가 각각 같다

마름모
⇨ 네 변의 길이가 같다

풍산자 비법

❶ (정다각형의 둘레)=(한 변의 길이)×(변의 수)

❷ (직사각형의 둘레)={(가로)+(세로)}×2

❸ (평행사변형의 둘레)={(한 변의 길이)+(다른 한 변의 길이)}×2

❹ (마름모의 둘레)=(한 변의 길이)×4

예제 따라 풀어보는 연산

예제 1 정삼각형의 둘레는 $5 \times 3 = 15 \, (\text{cm})$

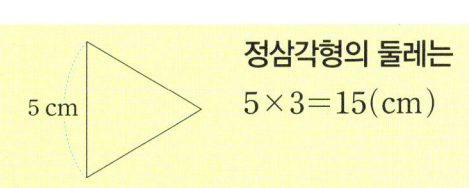

01 정사각형 (5 cm)

02 정오각형 (5 cm)

03 정육각형 (5 cm)

04 정칠각형 (5 cm)

예제 2 사각형의 둘레는 $(5+4) \times 2 = 18 \, (\text{cm})$

05 직사각형 (7 cm, 6 cm)

06 정사각형 (4 cm, 4 cm)

07 평행사변형 (9 cm, 2 cm)

08 마름모 (3 cm)

6. 다각형의 둘레와 넓이

스스로 풀어보는 연산

[09-12] 정다각형의 둘레를 구하시오.

09 7 cm (정사각형)

10 8 cm (정오각형)

11 9 cm (정육각형)

12 10 cm (정칠각형)

[13-20] 사각형의 둘레를 구하시오.

13 직사각형
6 cm, 4 cm

14 직사각형
9 cm, 5 cm

15 정사각형
8 cm, 8 cm

16 정사각형
10 cm, 10 cm

17 평행사변형
7 cm, 4 cm

18 평행사변형
10 cm, 6 cm

19 마름모
5 cm

20 마름모
8 cm

응용 연산

[21-22] 두 정다각형의 둘레가 각각 60 cm일 때, ☐ 안에 알맞은 수를 써넣으시오.

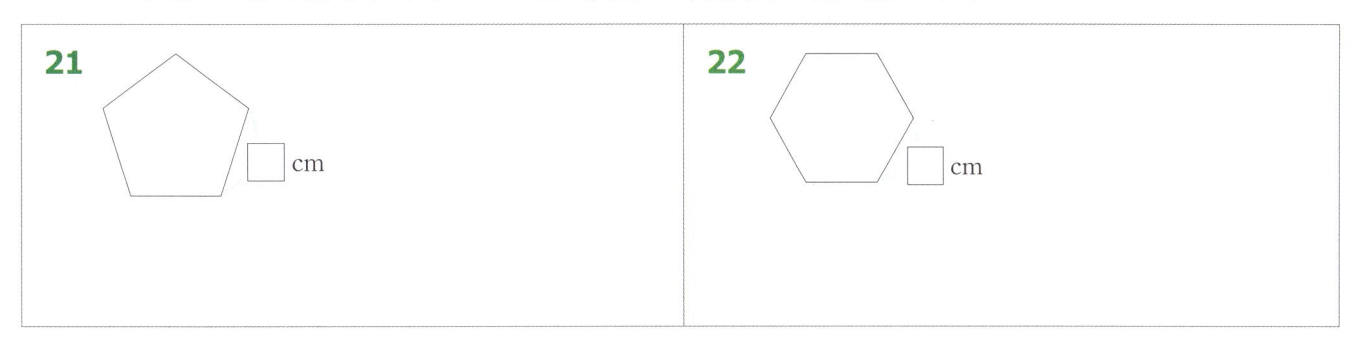

21 ☐ cm

22 ☐ cm

[23-24] 두 직사각형의 둘레가 각각 20 cm일 때, ☐ 안에 알맞은 수를 써넣으시오.

23 8 cm, ☐ cm

24 3 cm, ☐ cm

[25-26] 평행사변형과 마름모의 둘레가 각각 24 cm일 때, ☐ 안에 알맞은 수를 써넣으시오.

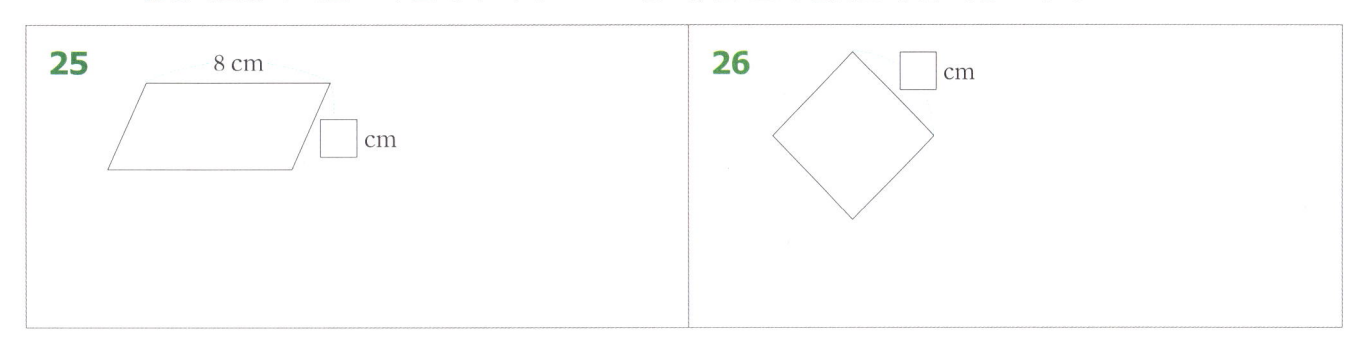

25 8 cm, ☐ cm

26 ☐ cm

[27-28] 직각으로 이루어진 도형의 둘레를 구하시오.

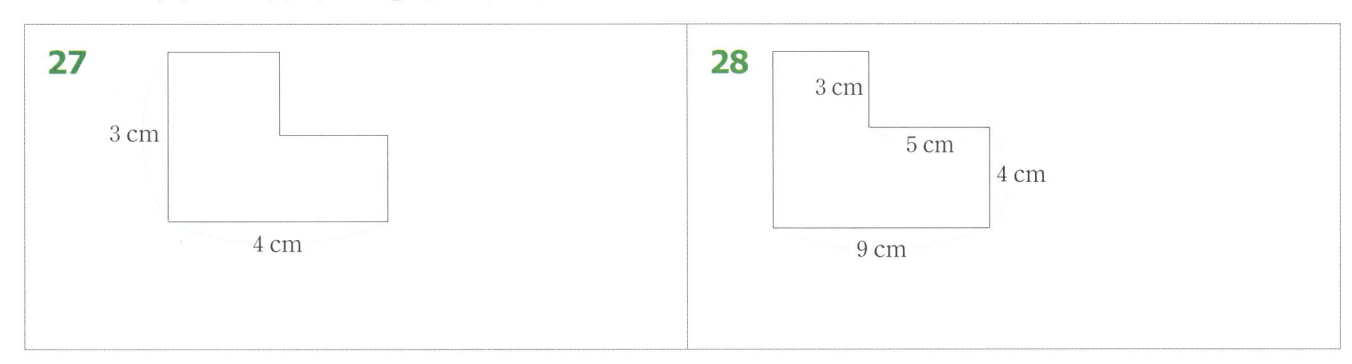

27 3 cm, 4 cm

28 3 cm, 5 cm, 4 cm, 9 cm

17 넓이의 단위

우리는 이전 학년에서 길이의 단위로 1 mm, 1 cm, 1 m, 1 km를 알아보았습니다. 이 단위들 사이의 관계는 다음과 같았습니다.

- 10 mm = 1 cm
- 100 cm = 1 m
- 1000 m = 1 km

그렇다면 넓이의 단위는 어떻게 나타낼까요?

도형의 넓이를 나타낼 때에는 한 변의 길이가 1 cm인 정사각형의 넓이를 넓이의 단위로 사용합니다. 이 정사각형의 넓이를 **1 cm²**라 쓰고 **1 제곱센티미터**라고 읽습니다.

$$1\ cm^2 \quad 1\ cm^2$$

cm²보다 더 큰 넓이는 한 변의 길이가 1 m인 정사각형의 넓이를 단위로 사용할 수 있습니다. 이 정사각형의 넓이를 **1 m²**라 쓰고 **1 제곱미터**라고 읽습니다.

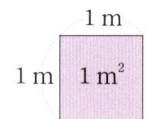

$$1\ m^2 \quad 1\ m^2$$

또한, m²보다 더 큰 넓이는 한 변의 길이가 1 km인 정사각형의 넓이를 단위로 사용할 수 있습니다. 이 정사각형의 넓이를 **1 km²**라 쓰고 **1 제곱킬로미터**라고 읽습니다.

$$1\ km^2 \quad 1\ km^2$$

넓이의 단위들 사이의 관계는 다음과 같습니다.

- 1 m² = 10000 cm²
- 1 km² = 1000000 m²

cm² 단위로 나타내면 수가 너무 커질 때
⇨ cm²보다 더 큰 단위인 m² 단위를 사용

m² 단위로 나타내면 수가 너무 커질 때
⇨ m²보다 더 큰 단위인 km² 단위를 사용

풍산자 비법

$$1\ m^2 = 10000\ cm^2 \qquad 1\ km^2 = 1000000\ m^2$$

예제 따라 풀어보는 연산

예제 1 $1\ m^2 = 10000\ cm^2$

01 $5\ m^2 = \boxed{}\ cm^2$

02 $20\ m^2 = \boxed{}\ cm^2$

03 $\boxed{}\ m^2 = 40000\ cm^2$

04 $\boxed{}\ m^2 = 250000\ cm^2$

예제 2 $1\ km^2 = 1000000\ m^2$

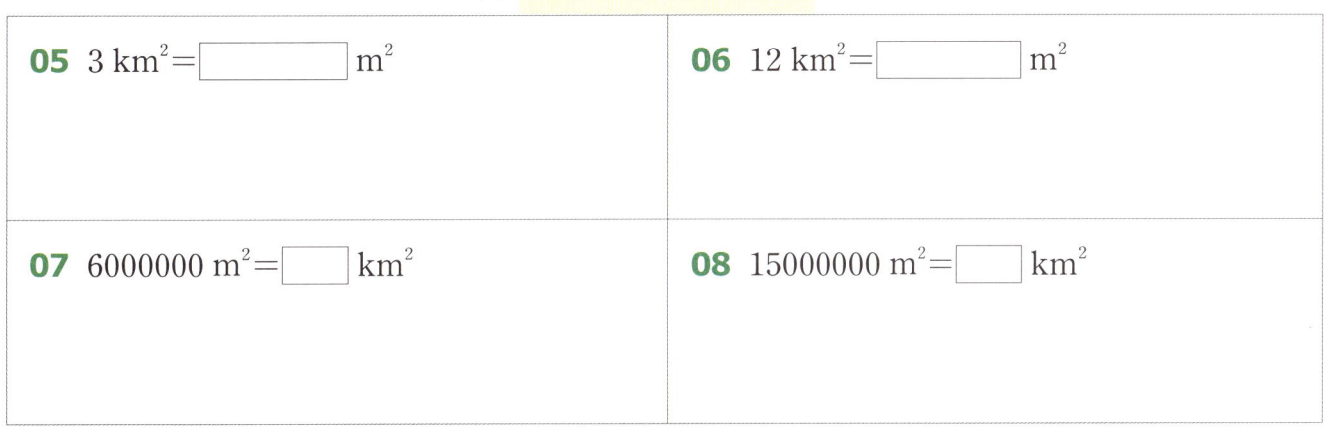

05 $3\ km^2 = \boxed{}\ m^2$

06 $12\ km^2 = \boxed{}\ m^2$

07 $6000000\ m^2 = \boxed{}\ km^2$

08 $15000000\ m^2 = \boxed{}\ km^2$

예제 3   가장 작은 정사각형 1개의 넓이가 $1\ cm^2$이면 정사각형이 15개이므로 도형의 넓이는 $15\ cm^2$입니다.

09 가장 작은 정사각형 1개의 넓이는 $1\ cm^2$

10 가장 작은 정사각형 1개의 넓이는 $1\ cm^2$

11 가장 작은 정사각형 1개의 넓이는 $1\ m^2$

12 가장 작은 정사각형 1개의 넓이는 $1\ km^2$

6. 다각형의 둘레와 넓이

스스로 풀어보는 연산

[13-24] □ 안에 알맞은 수를 써넣으시오.

13 30 m² = [ ] cm²

14 [ ] m² = 500000 cm²

15 [ ] m² = 420000 cm²

16 35 m² = [ ] cm²

17 21 km² = [ ] m²

18 32 km² = [ ] m²

19 [ ] km² = 35000000 m²

20 [ ] km² = 6000000 m²

21 가장 작은 정사각형 1개의 넓이 1 m²

도형의 넓이 = [ ] cm²

22 가장 작은 정사각형 1개의 넓이 1 m²

도형의 넓이 = [ ] cm²

23 가장 작은 정사각형 1개의 넓이 1 km²

도형의 넓이 = [ ] m²

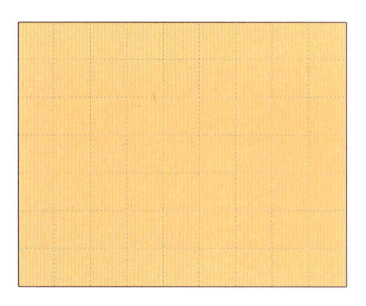

24 가장 작은 정사각형 1개의 넓이 1 km²

도형의 넓이 = [ ] m²

응용 연산

[25-26] 넓이가 가장 넓은 도형을 고르시오.

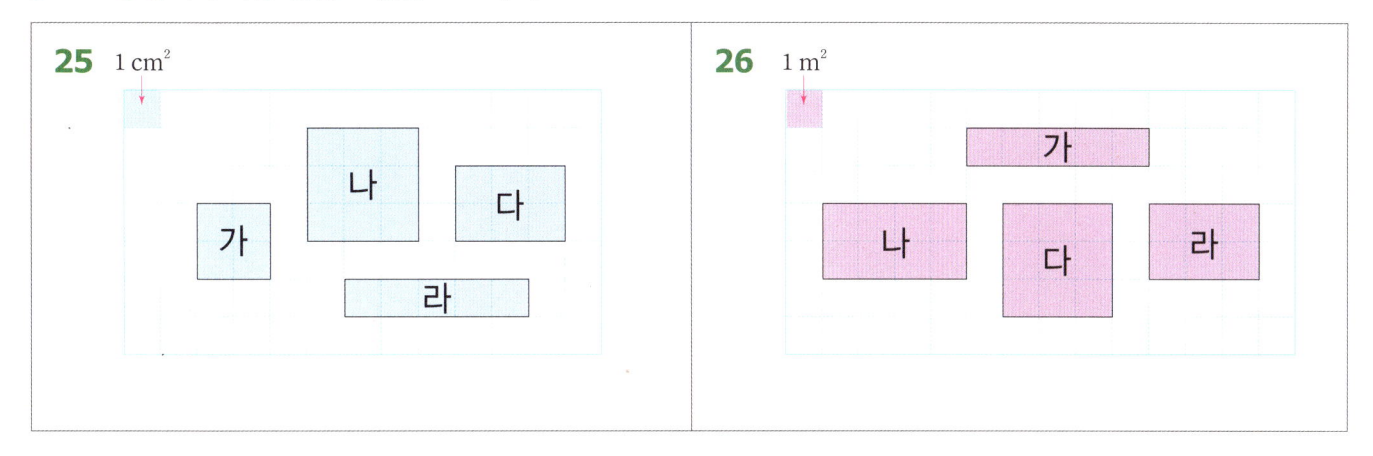

25 1 cm²

26 1 m²

[27-28] 넓이가 다음과 같은 도형을 2개 그리시오.

27 넓이 8 cm²
1 cm²

28 넓이 16 m²
1 m²

[29-30] 도형의 넓이는 작은 정사각형 넓이의 몇 배인지 구하시오.

29 1 m²

30 1 m²

[31-32] 도형의 넓이는 몇 m²인지 구하시오.

31 5 m, 600 cm

32 800 cm, 6 m

6. 다각형의 둘레와 넓이 83

18 직사각형의 넓이

우리는 앞 단원에서 넓이의 단위를 이용하여 도형의 넓이를 구하는 방법을 알아보았습니다. 넓이의 단위를 이용하여 직사각형과 정사각형의 넓이를 구하면 다음과 같았습니다.

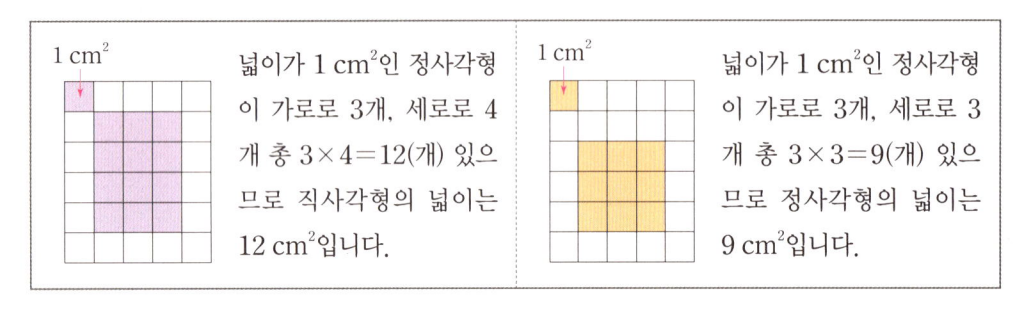

1 cm² / 넓이가 1 cm²인 정사각형이 가로로 3개, 세로로 4개 총 3×4=12(개) 있으므로 직사각형의 넓이는 12 cm²입니다.	1 cm² / 넓이가 1 cm²인 정사각형이 가로로 3개, 세로로 3개 총 3×3=9(개) 있으므로 정사각형의 넓이는 9 cm²입니다.

그렇다면 넓이의 단위를 나타내는 정사각형의 개수를 세지 않고 가로, 세로를 이용하여 직사각형의 넓이는 어떻게 구할까요?

<mark>직사각형의 넓이는 (가로)×(세로)</mark>로 구할 수 있고,
<mark>정사각형의 넓이는 (한 변의 길이)×(한 변의 길이)</mark>로 구할 수 있습니다.

8 cm, 6 cm
(직사각형의 넓이)=8×6=48(cm²)

4 cm, 4 cm
(정사각형의 넓이)=4×4=16(cm²)

(정사각형의 넓이)
=(직사각형의 넓이)
=(가로)×(세로)
=(한 변의 길이)×(한 변의 길이)

즉, 직사각형과 정사각형의 넓이는 직각을 이루는 두 변의 길이를 곱하여 구할 수 있습니다.

풍산자 비법
❶ (직사각형의 넓이)=(가로)×(세로)
❷ (정사각형의 넓이)=(한 변의 길이)×(한 변의 길이)

예제 따라 풀어보는 연산

예제 1 직사각형의 넓이는 $5 \times 4 = 20 (\text{cm}^2)$

01 2 cm, 5 cm

02 7 cm, 3 cm

03 12 cm, 6 cm

04 20 cm, 10 cm

예제 2 정사각형의 넓이는 $5 \times 5 = 25 (\text{cm}^2)$

05 8 cm, 8 cm

06 11 cm, 11 cm

07 14 cm, 14 cm

08 25 cm, 25 cm

스스로 풀어보는 연산

[09-20] 도형의 넓이를 구하시오.

09 10 cm, 6 cm

10 3 cm, 4 cm

11 12 cm, 5 cm

12 9 cm, 12 cm

13 7 cm, 14 cm

14 15 cm, 6 cm

15 7 cm, 7 cm

16 9 cm, 9 cm

17 10 cm, 10 cm

18 12 cm, 12 cm

19 16 cm, 16 cm

20 30 cm, 30 cm

응용 연산

[21-22] 넓이가 주어진 직사각형에서 □ 안에 알맞은 수를 써넣으시오.

21 6 cm, □ cm [넓이: 54 cm²]

22 14 cm, □ cm [넓이: 168 cm²]

[23-24] 넓이가 주어진 정사각형에서 한 변의 길이를 구하시오.

23 [넓이: 64 cm²]

24 [넓이: 169 cm²]

[25-26] 직각으로 이루어진 도형의 넓이를 구하시오.

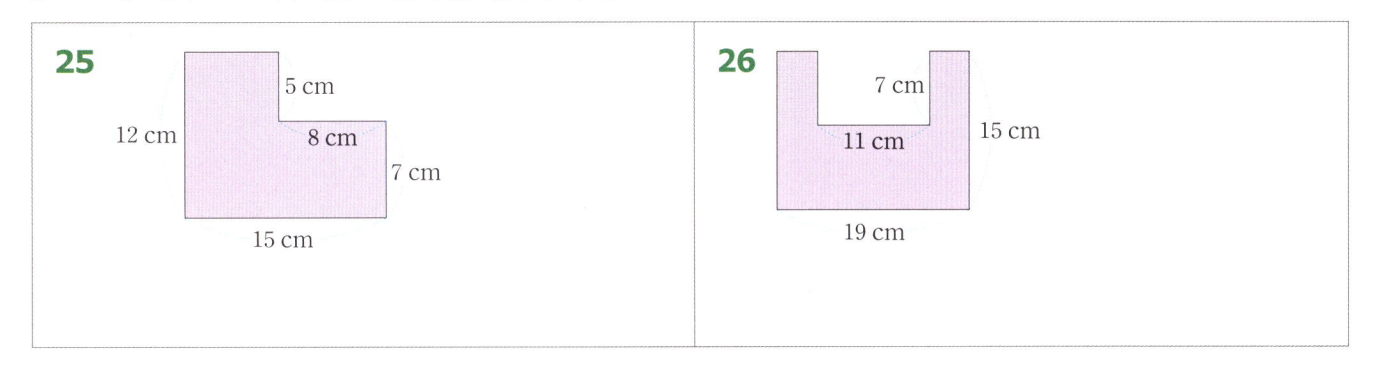

25 5 cm, 12 cm, 8 cm, 7 cm, 15 cm

26 7 cm, 11 cm, 15 cm, 19 cm

[27-28] 색칠한 부분의 넓이를 구하시오.

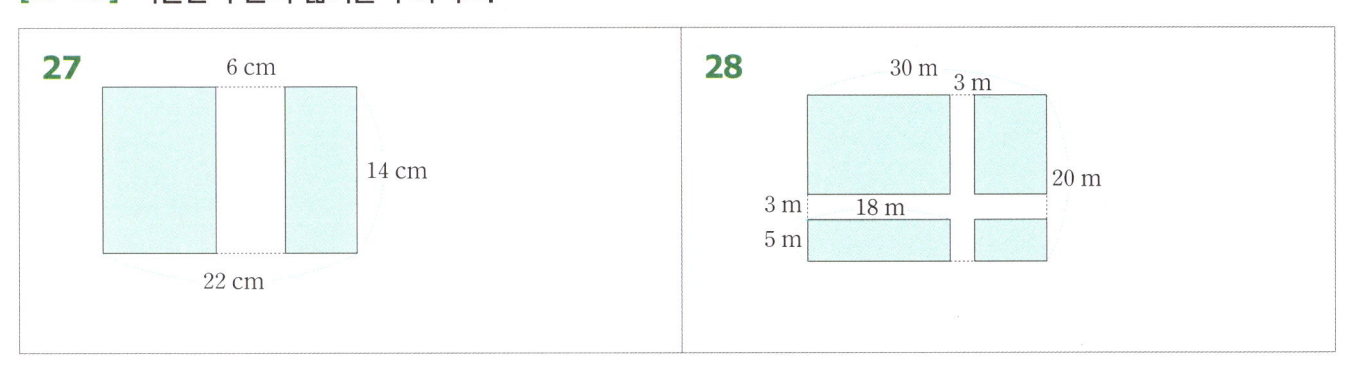

27 6 cm, 14 cm, 22 cm

28 30 m, 3 m, 20 m, 3 m, 18 m, 5 m

6. 다각형의 둘레와 넓이

19 평행사변형과 삼각형의 넓이

우리는 앞 단원에서 직사각형과 정사각형의 넓이 구하는 방법을 알아보았습니다. 직사각형의 넓이는 (가로)×(세로)로 구하고, 정사각형의 넓이는 (한 변의 길이)×(한 변의 길이)로 구하였습니다.

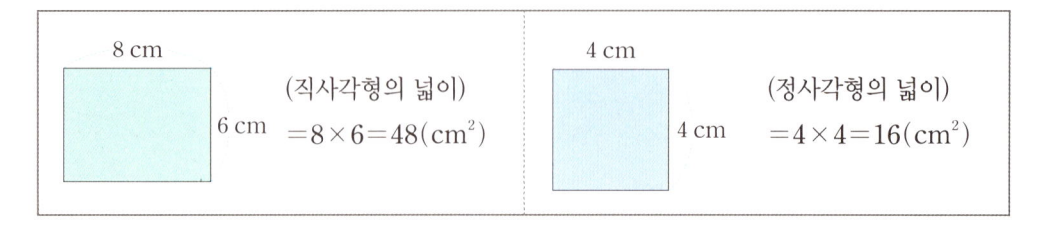

(직사각형의 넓이) = 8×6 = 48(cm²)

(정사각형의 넓이) = 4×4 = 16(cm²)

그렇다면 평행사변형과 삼각형의 넓이는 어떻게 구할까요?

평행사변형에서 평행한 두 변을 **밑변**이라 하고, 두 밑변 사이의 거리를 **높이**라고 합니다.

평행사변형의 넓이는 (밑변의 길이)×(높이)로 구할 수 있습니다.

삼각형의 한 변을 **밑변**이라 하면, 밑변과 마주 보는 꼭짓점에서 밑변에 수직으로 그은 선분의 길이를 **높이**라고 합니다.

삼각형의 넓이는 (밑변의 길이)×(높이)÷2로 구할 수 있습니다.

(평행사변형의 넓이) = 7×5 = 35(cm²)

(삼각형의 넓이) = 9×6÷2 = 27(cm²)

이때 밑변의 길이와 높이가 같은 평행사변형은 모양이 달라도 넓이는 같고, 밑변의 길이와 높이가 같은 삼각형도 모양이 달라도 넓이는 같습니다.

풍산자 비법

❶ (평행사변형의 넓이) = (밑변의 길이)×(높이)

❷ (삼각형의 넓이) = (밑변의 길이)×(높이)÷2

예제 따라 풀어보는 연산

예제 1 평행사변형의 넓이는 $5 \times 4 = 20 (\text{cm}^2)$

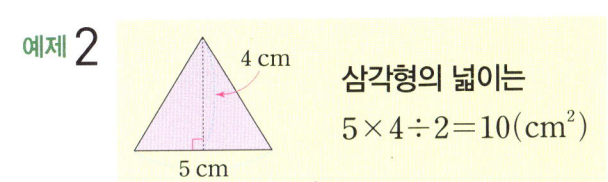

01 3 cm, 7 cm

02 6 cm, 9 cm

03 4 cm, 11 cm

04 5 cm, 15 cm

예제 2 삼각형의 넓이는 $5 \times 4 \div 2 = 10 (\text{cm}^2)$

05 6 cm, 8 cm

06 5 cm, 10 cm

07 3 cm, 12 cm

08 8 cm, 18 cm

6. 다각형의 둘레와 넓이

스스로 풀어보는 연산

[09-20] 도형의 넓이를 구하시오.

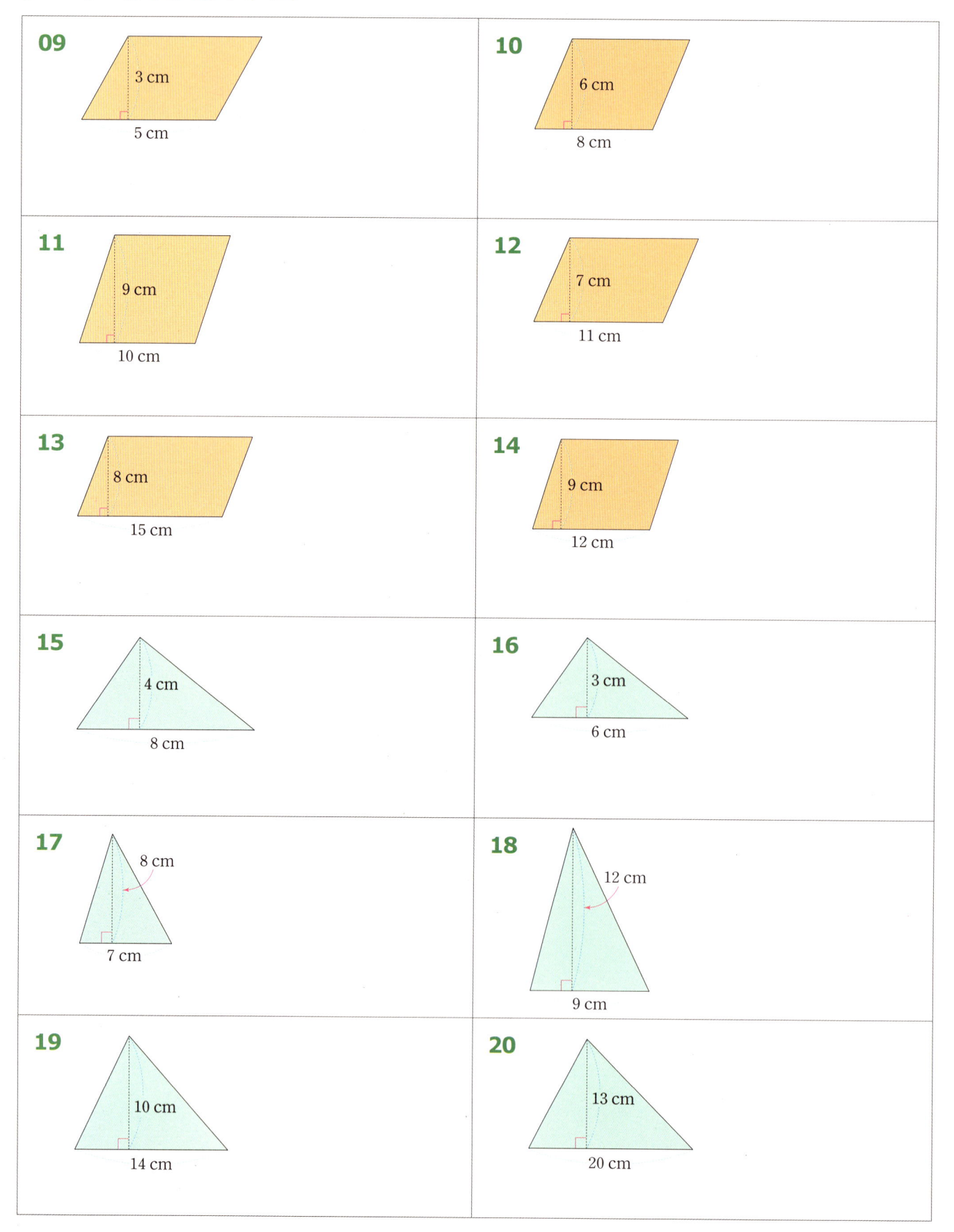

09 3 cm, 5 cm

10 6 cm, 8 cm

11 9 cm, 10 cm

12 7 cm, 11 cm

13 8 cm, 15 cm

14 9 cm, 12 cm

15 4 cm, 8 cm

16 3 cm, 6 cm

17 8 cm, 7 cm

18 12 cm, 9 cm

19 10 cm, 14 cm

20 13 cm, 20 cm

응용 연산

[21-22] 넓이가 주어진 평행사변형에서 □ 안에 알맞은 수를 써넣으시오.

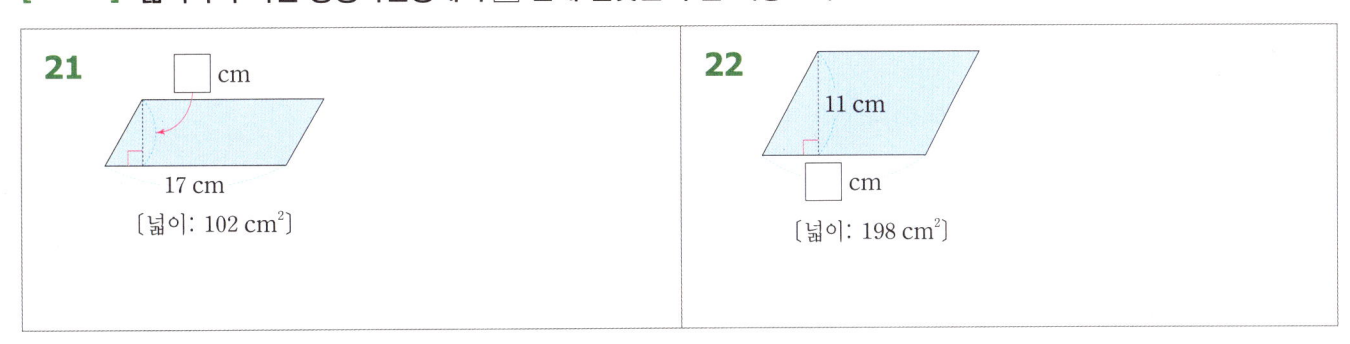

21 □ cm, 17 cm [넓이: 102 cm²]

22 11 cm, □ cm [넓이: 198 cm²]

[23-24] 모눈종이에 알맞은 도형을 각각 2개씩 그리시오.

23 밑변이 5 cm, 높이가 4 cm인 평행사변형

24 넓이가 24 cm²인 평행사변형

[25-26] 넓이가 주어진 삼각형에서 □ 안에 알맞은 수를 써넣으시오.

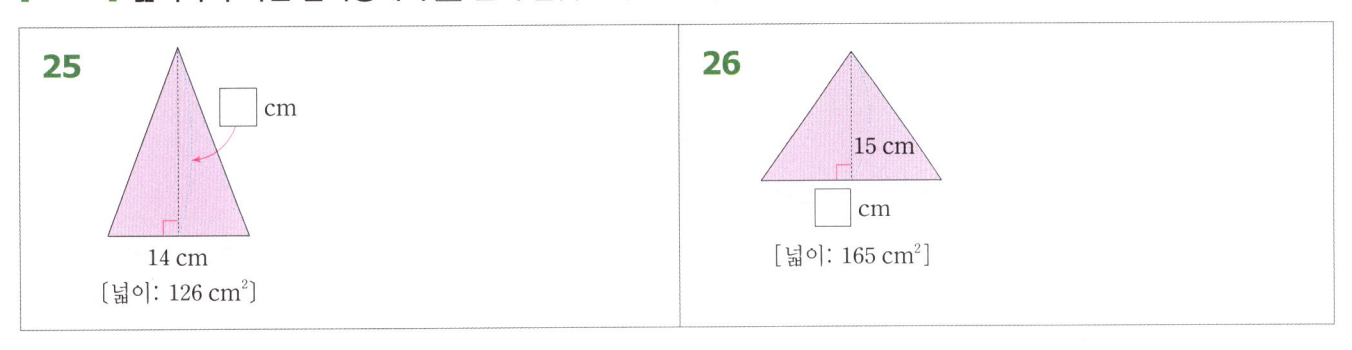

25 □ cm, 14 cm [넓이: 126 cm²]

26 15 cm, □ cm [넓이: 165 cm²]

[27-28] 모눈종이에 알맞은 도형을 각각 2개씩 그리시오.

27 밑변이 4 cm, 높이가 3 cm인 삼각형

28 넓이가 8 cm²인 삼각형

20 마름모와 사다리꼴의 넓이

우리는 앞 단원에서 평행사변형과 삼각형의 넓이 구하는 방법을 알아보았습니다. 평행사변형의 넓이는 (밑변의 길이)×(높이)로 구하고, 삼각형의 넓이는 (밑변의 길이)×(높이)÷2로 구하였습니다.

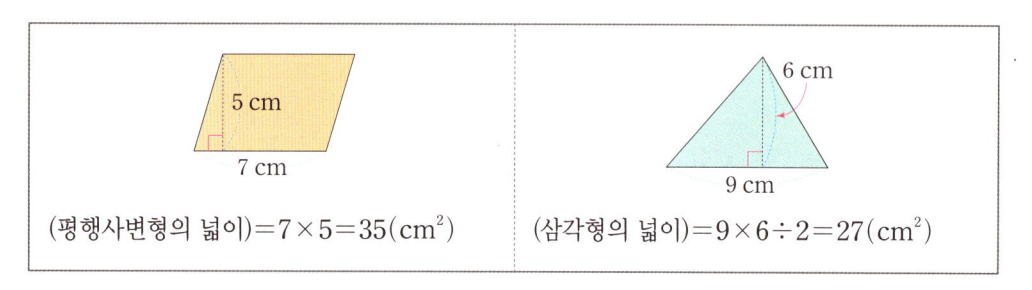

(평행사변형의 넓이)=7×5=35(cm²)   (삼각형의 넓이)=9×6÷2=27(cm²)

그렇다면 마름모와 사다리꼴의 넓이는 어떻게 구할까요?

마름모의 넓이는 (한 대각선의 길이)×(다른 대각선의 길이)÷2로 구할 수 있습니다.

사다리꼴에서 평행한 두 변을 **밑변**이라 하고, 한 밑변을 **윗변**, 다른 밑변을 **아랫변**이라고 합니다.

이때 두 밑변 사이의 거리를 **높이**라고 합니다.

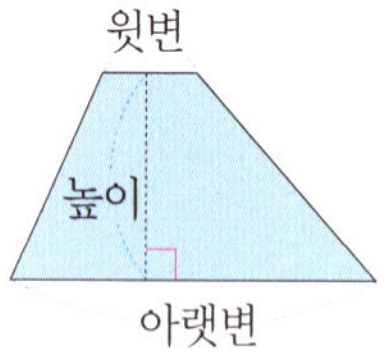

사다리꼴의 넓이는 {(윗변의 길이)+(아랫변의 길이)}×(높이)÷2 로 구할 수 있습니다.

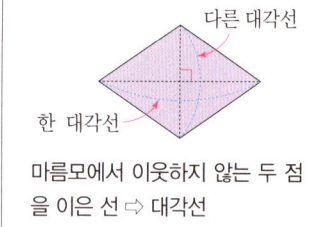

마름모에서 이웃하지 않는 두 점을 이은 선 ⇨ 대각선

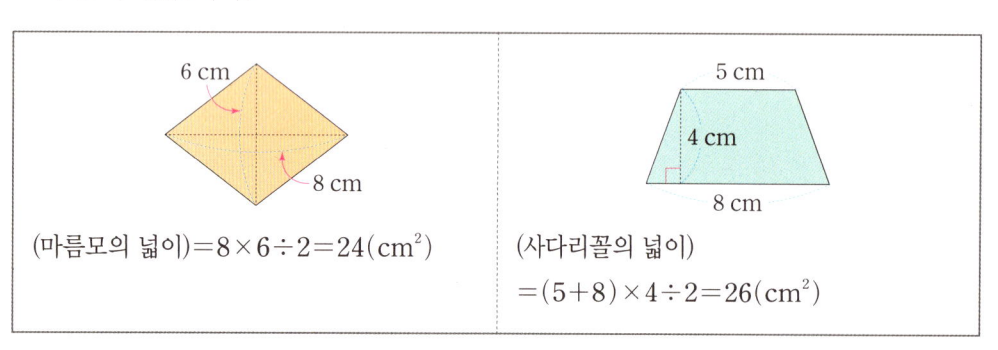

(마름모의 넓이)=8×6÷2=24(cm²)

(사다리꼴의 넓이)
=(5+8)×4÷2=26(cm²)

이때 두 밑변의 길이의 합과 높이가 각각 같은 사다리꼴은 모양이 달라도 넓이는 같습니다.

풍산자 비법
❶ (마름모의 넓이)=(한 대각선의 길이)×(다른 대각선의 길이)÷2
❷ (사다리꼴의 넓이)={(윗변의 길이)+(아랫변의 길이)}×(높이)÷2

예제 따라 풀어보는 연산

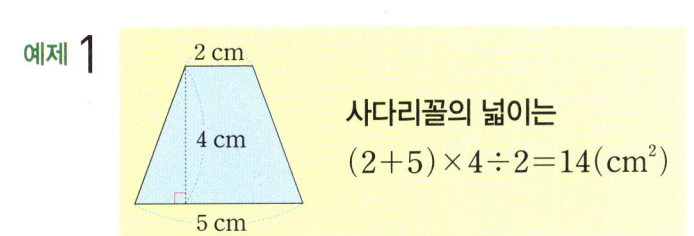

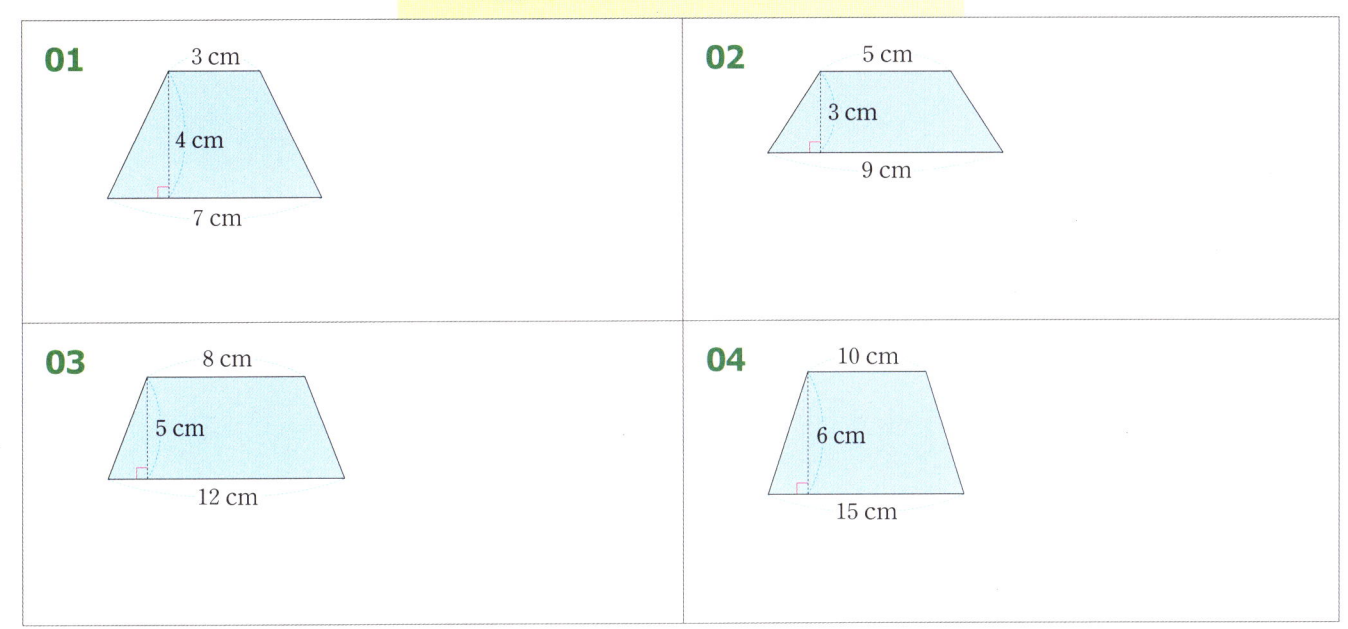

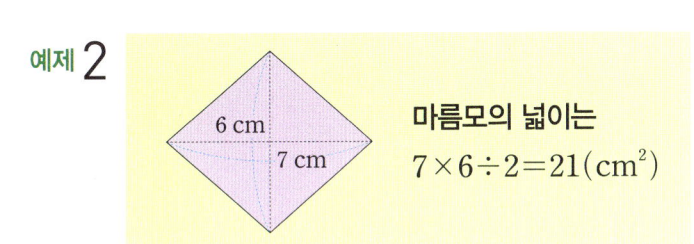

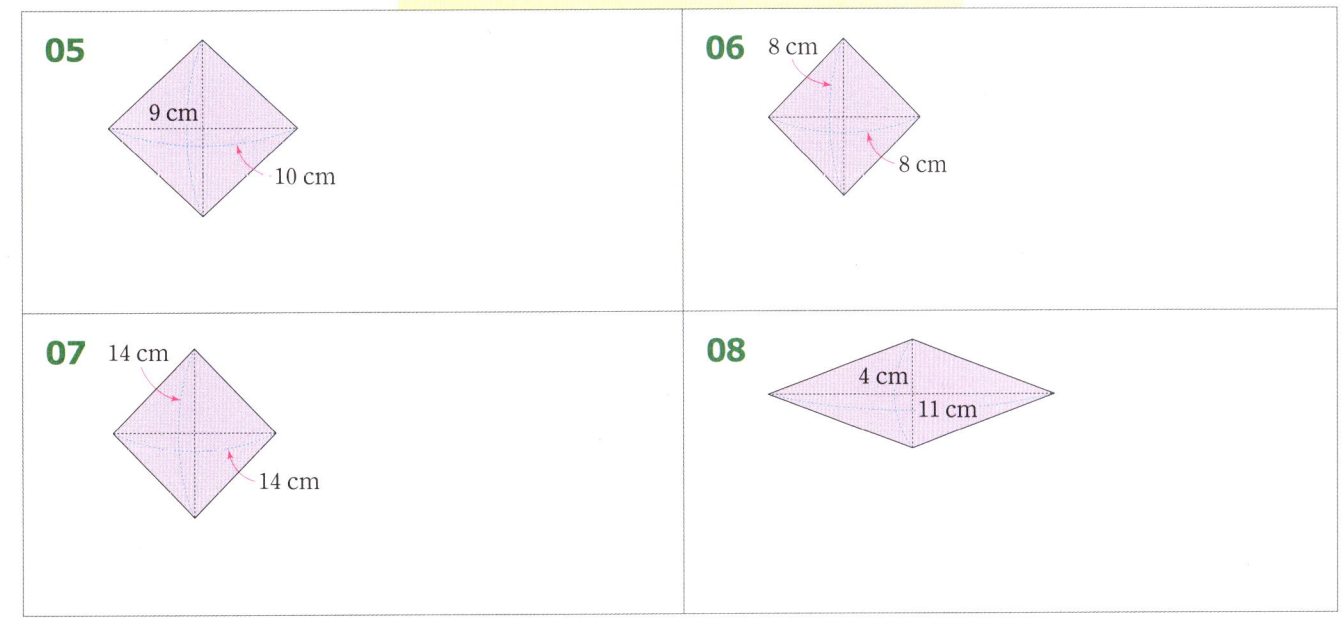

예제 1

사다리꼴의 넓이는
$(2+5) \times 4 \div 2 = 14 (\text{cm}^2)$

01 (윗변 3 cm, 높이 4 cm, 아랫변 7 cm)

02 (윗변 5 cm, 높이 3 cm, 아랫변 9 cm)

03 (윗변 8 cm, 높이 5 cm, 아랫변 12 cm)

04 (윗변 10 cm, 높이 6 cm, 아랫변 15 cm)

예제 2

마름모의 넓이는
$7 \times 6 \div 2 = 21 (\text{cm}^2)$

05 (9 cm, 10 cm)

06 (8 cm, 8 cm)

07 (14 cm, 14 cm)

08 (4 cm, 11 cm)

6. 다각형의 둘레와 넓이

스스로 풀어보는 연산

[09-20] 도형의 넓이를 구하시오.

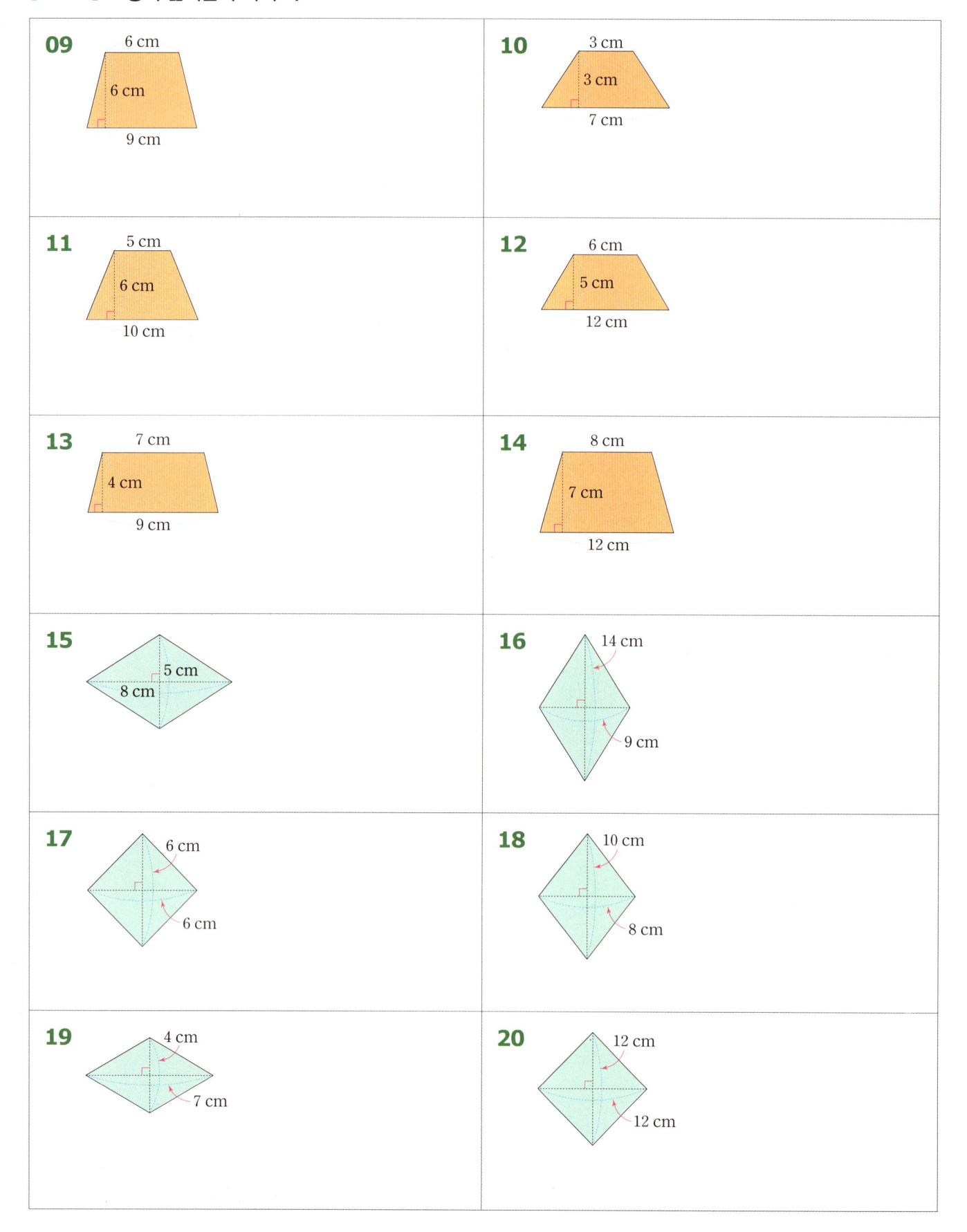

09	윗변 6 cm, 높이 6 cm, 아랫변 9 cm 사다리꼴	10	윗변 3 cm, 높이 3 cm, 아랫변 7 cm 사다리꼴
11	윗변 5 cm, 높이 6 cm, 아랫변 10 cm 사다리꼴	12	윗변 6 cm, 높이 5 cm, 아랫변 12 cm 사다리꼴
13	윗변 7 cm, 높이 4 cm, 아랫변 9 cm 사다리꼴	14	윗변 8 cm, 높이 7 cm, 아랫변 12 cm 사다리꼴
15	마름모 대각선 8 cm, 5 cm	16	마름모 대각선 14 cm, 9 cm
17	마름모 대각선 6 cm, 6 cm	18	마름모 대각선 10 cm, 8 cm
19	마름모 대각선 4 cm, 7 cm	20	마름모 대각선 12 cm, 12 cm

응용 연산

[21-22] 넓이가 주어진 사다리꼴에서 높이를 구하시오.

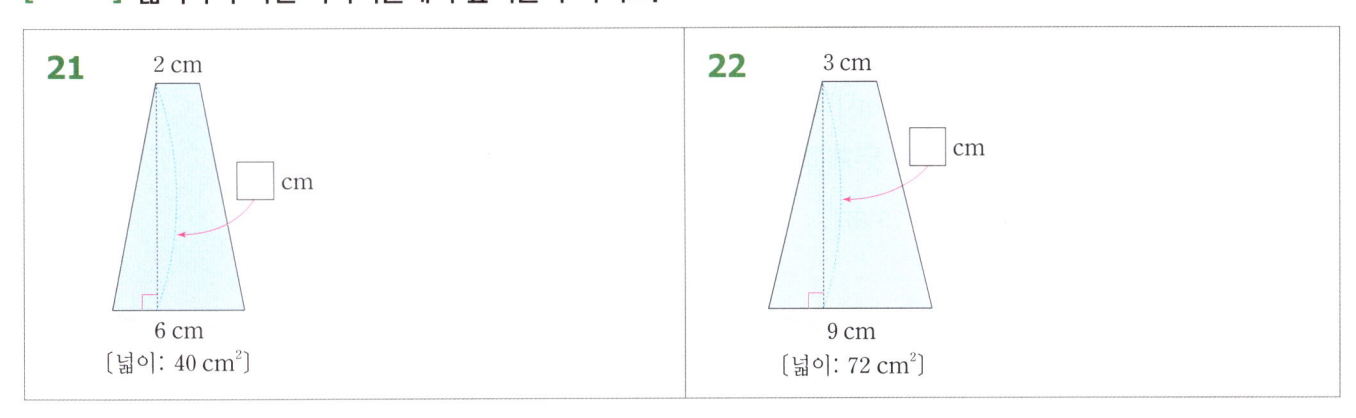

21
2 cm
□ cm
6 cm
[넓이: 40 cm²]

22
3 cm
□ cm
9 cm
[넓이: 72 cm²]

[23-24] 넓이가 주어진 마름모에서 다른 대각선의 길이를 구하시오.

23
□ cm
6 cm
[넓이: 24 cm²]

24
□ cm
11 cm
[넓이: 55 cm²]

[25-26] 색칠한 부분의 넓이를 구하시오.

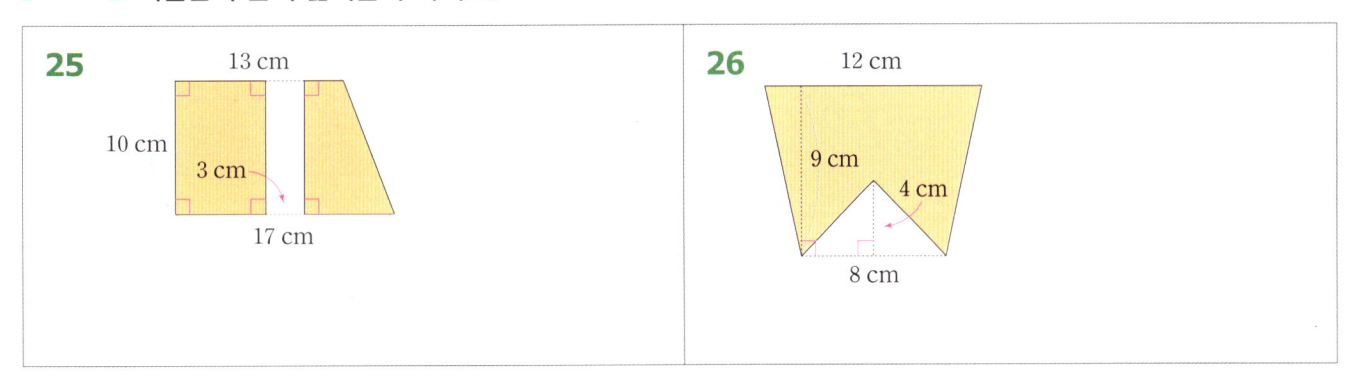

25
13 cm
10 cm
3 cm
17 cm

26
12 cm
9 cm
4 cm
8 cm

[27-28] 색칠한 부분의 넓이가 더 넓은 것을 고르시오.

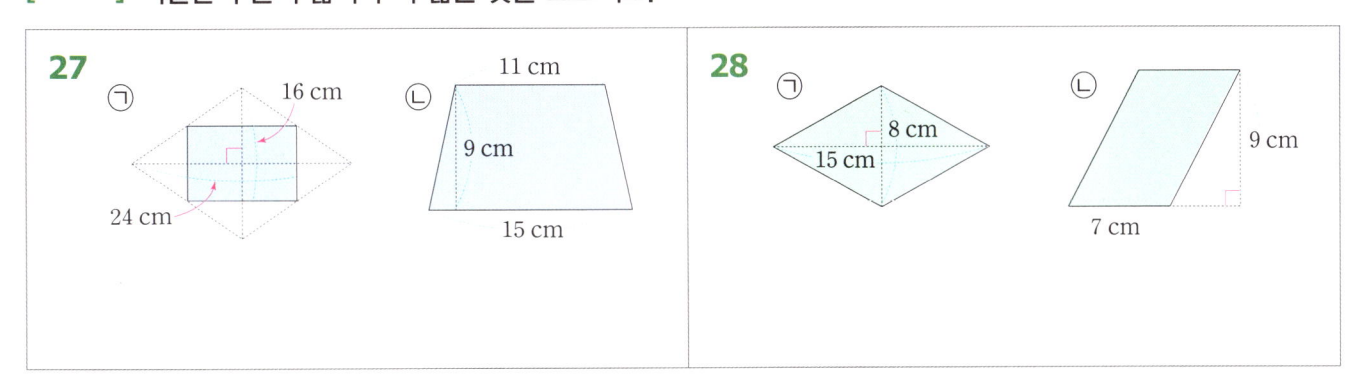

27
㉠ 16 cm, 24 cm
㉡ 11 cm, 9 cm, 15 cm

28
㉠ 8 cm, 15 cm
㉡ 9 cm, 7 cm

재미있게, 우리 연산하자!

지금까지 우리는 다각형의 둘레와 넓이를 배웠습니다.

힘들었을 텐데, 잘 풀었어요!

자, 그럼 마지막으로 지금까지 배운 다각형의 넓이를 이용해서 재미있는 문제를 해결해 볼까요?

ready~ start!

혜수와 나희가 옆집 아저씨의 밭에 가려고 합니다. 여러 가지 밭 중에서 다양한 모양의 밭의 넓이를 구해야 옆집 아저씨의 밭에 도착할 수 있습니다.
어느 곳이 아저씨의 밭일까요?

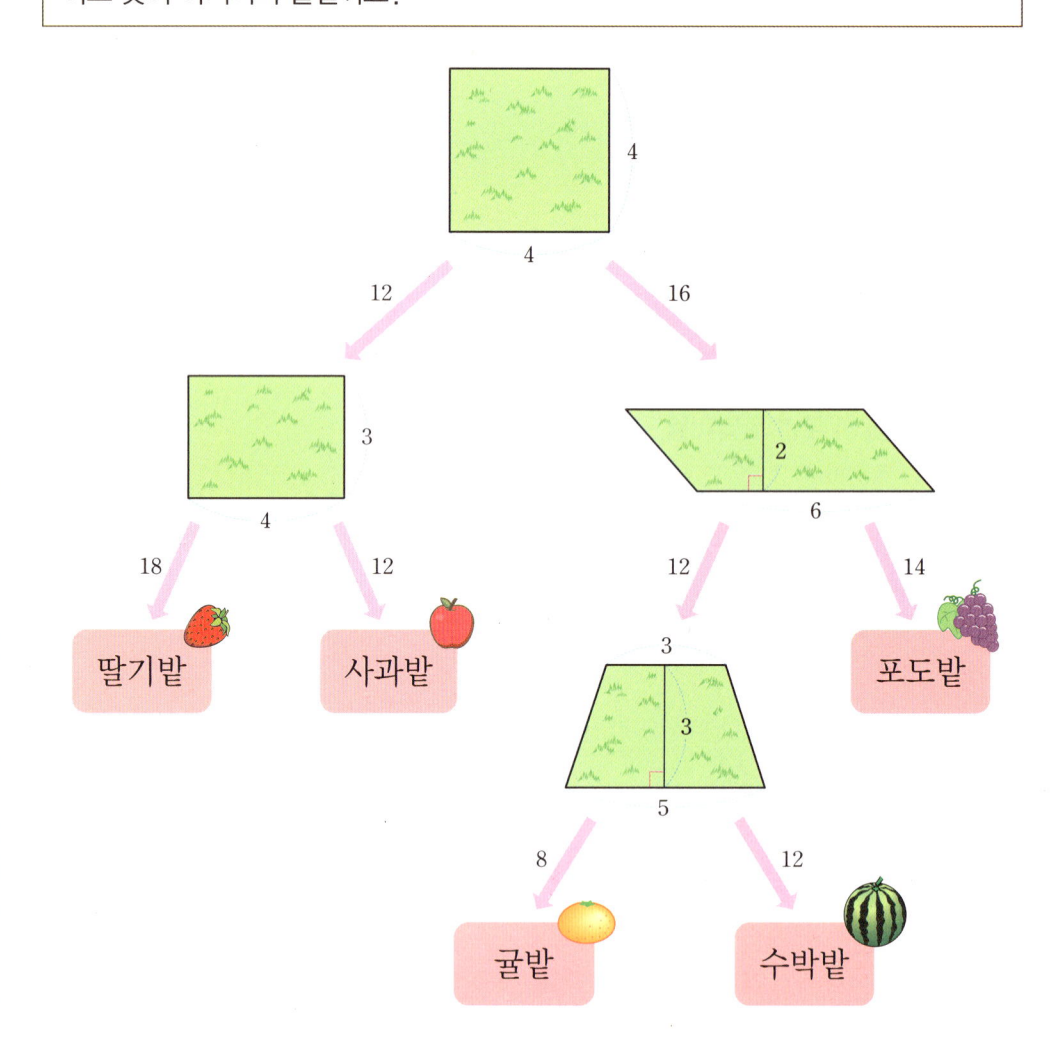

풍산자 라인업

초등 풍산자로 개념을 적용하고 응용하여 연산, 유형, 서술형을 풀면 실력이 탄탄해집니다

처음 배우는 수학을 쉽게 접근하는 초등 풍산자 로드맵

- 연산 집중훈련서 ▶ 풍산자 개념X연산
- 교과 유형학습서 ▶ 풍산자 개념X유형
- 서술형 집중연습서 ▶ 풍산자 개념X서술형
- 연산 반복훈련서 ▶ 풍산자 연산

초등 풍산자 교재	하	중하	중	상
연산 집중훈련서 **풍산자 개념X연산**	개념 적용 연산 학습, 기초 실력 완성 (하~상)			
교과 유형학습서 **풍산자 개념X유형**		개념 응용 유형 학습, 기본 실력 완성 (중하~상)		
서술형 집중연습서 **풍산자 개념X서술형**		개념 활용 서술형 연습, 문제 해결력 완성 (중하~상)		
출시 예정 — 연산 반복훈련서 **풍산자 연산**	연산만 집중적으로 반복 학습 (하~중)			

풍산자

개념 × 연산

정답과 풀이

초등 수학
5-1

풍산자

꼼꼼 개념 속 연산을 빠르게!

개념 × 연산

| 정답과 풀이 |

초등 수학 5-1

1. 자연수의 혼합 계산

01 덧셈과 뺄셈이 섞여 있는 식

p.07~09

> **예제 따라 풀어보는 연산**
> 01 11   02 25   03 15   04 27
> 05 31   06 46   07 3   08 18
> 09 37   10 33   11 14   12 8
>
> **스스로 풀어보는 연산**
> 13 171   14 103   15 510   16 413
> 17 59   18 640   19 64   20 11
> 21 31   22 5   23 614   24 89
> 25 11   26 208
>
> **응용 연산**
> 27 (위에서부터) 24, 40, 24
> 28 (위에서부터) 26, 12, 1, 26
> 29 59   30 18   31 풀이 참조
> 32 풀이 참조   33 >   34 <

01 답 11
$$13+4-6=17-6=11$$
①
②

07 답 3
$$(5+9)-11=14-11=3$$
①
②

13 답 171
괄호가 없는 경우 앞에서부터 차례대로 계산합니다.
$$213+17-59=230-59$$
$$=171$$

21 답 31
괄호가 있는 경우 괄호 안에 있는 식을 먼저 계산합니다.
$$(35+10)-23+9=45-23+9$$
$$=22+9$$
$$=31$$

25 답 11
괄호가 있는 경우 괄호 안에 있는 식을 먼저 계산합니다.
$$(20+5)-(8+6)=25-(8+6)$$
$$=25-14$$
$$=11$$

27 답 (위에서부터) 24, 40, 24
괄호가 있는 경우 괄호 안에 있는 식을 먼저 계산합니다.
$$64-(21+19)=64-40$$
$$=24$$

28 답 (위에서부터) 26, 12, 1, 26
괄호가 없는 경우 앞에서부터 차례대로 계산합니다.
$$28-16-11+25=12-11+25$$
$$=1+25$$
$$=26$$

29 답 59
괄호가 없는 경우 앞에서부터 차례대로 계산합니다.
$$36+15+8=51+8$$
$$=59$$
①
②

30 답 18
괄호가 있는 경우 괄호 안에 있는 식을 먼저 계산합니다.
$$14+(42-38)=14+4$$
$$=18$$
①
②

31 답 풀이 참조

| 78−(33+10) | • | • | 35 |
| (78−33)+10 | • | • | 55 |

$$78-(33+10)=78-43=35$$
$$(78-33)+10=45+10=55$$

32 답 풀이 참조

$(43-25)-(11+4)$ ╲╱ 33
$43-(25-11)+4$ ╱╲ 3

$(43-25)-(11+4)=18-15=3$
$43-(25-11)+4=43-14+4=29+4=33$

33 답 >

$(92-5)+(35-20)=87+15=102$
$\{92-(5+35)\}-20=(92-40)-20$
$\qquad\qquad\qquad\qquad=52-20=32$
따라서 ○에 알맞은 것은 >입니다.

34 답 <

$(41-19)-15=22-15=7$
$41-(19-15)=41-4=37$
따라서 ○에 알맞은 것은 <입니다.

02 곱셈과 나눗셈이 섞여 있는 식

p. 11~13

> 예제 따라 풀어보는 연산

01 2	02 132	03 72	04 10
05 21	06 40	07 45	08 3
09 20	10 4	11 30	12 81

> 스스로 풀어보는 연산

13 504	14 1	15 15	16 24
17 39	18 10	19 36	20 40
21 7	22 6	23 540	24 2
25 6	26 54		

> 응용 연산

27 (위에서부터) 10, 30, 10
28 (위에서부터) 4, 8, 4   29 180   30 42
31 풀이 참조   32 풀이 참조
33 =   34 >

01 답 2

$24\div4\div3=6\div3=2$
　① 　　　
　　②

07 답 45

$(10\times9)\div2=90\div2=45$
　① 　　　
　　②

13 답 504

괄호가 없는 경우 앞에서부터 차례대로 계산합니다.
$7\times8\times9=56\times9$
$\qquad\quad\ =504$

17 답 39

괄호가 있는 경우 괄호 안에 있는 식을 먼저 계산합니다.
$13\times(15\div5)=13\times3$
$\qquad\qquad\quad=39$

21 답 7

괄호가 없는 경우 앞에서부터 차례대로 계산합니다.
$10\times7\div2\div5=70\div2\div5$
$\qquad\qquad\quad\ =35\div5$
$\qquad\qquad\quad\ =7$

25 답 6

괄호가 있는 경우 괄호 안에 있는 식을 먼저 계산합니다.
$(4\times9)\div(2\times3)=36\div(2\times3)$
$\qquad\qquad\qquad=36\div6$
$\qquad\qquad\qquad=6$

27 답 (위에서부터) 10, 30, 10

괄호가 없는 경우 앞에서부터 차례대로 계산합니다.
$6\times5\div3=30\div3$
$\qquad\qquad=10$

28 답 (위에서부터) 4, 8, 4

괄호가 있는 경우 괄호 안에 있는 식을 먼저 계산합니다.
$32\div(4\times2)=32\div8$
$\qquad\qquad\ =4$

1. 자연수의 혼합 계산

29 답 180

괄호가 없는 경우 앞에서부터 차례대로 계산합니다.

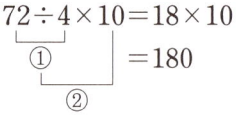

$72 \div 4 \times 10 = 18 \times 10 = 180$

30 답 42

괄호가 있는 경우 괄호 안에 있는 식을 먼저 계산합니다.

$21 \times (26 \div 13) = 21 \times 2 = 42$

31 답 풀이 참조

$(12 \div 4) \times 3$ — 9
$12 \div (4 \times 3)$ — 1

$(12 \div 4) \times 3 = 3 \times 3 = 9$
$12 \div (4 \times 3) = 12 \div 12 = 1$

32 답 풀이 참조

$(72 \div 4) \times (6 \div 3)$ — 1
$72 \div (4 \times 6) \div 3$ — 36

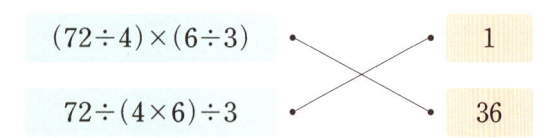

$(72 \div 4) \times (6 \div 3) = 18 \times 2 = 36$
$72 \div (4 \times 6) \div 3 = 72 \div 24 \div 3 = 3 \div 3 = 1$

33 답 =

$7 \times 6 \div 2 = 42 \div 2 = 21$
$7 \times (6 \div 2) = 7 \times 3 = 21$
따라서 ○에 알맞은 것은 =입니다.

34 답 >

$(48 \div 6) \times 2 = 8 \times 2 = 16$
$48 \div (6 \times 2) = 48 \div 12 = 4$
따라서 ○에 알맞은 것은 >입니다.

03 덧셈, 뺄셈, 곱셈, 나눗셈이 섞여 있는 식

p. 15~17

> 예제 따라 풀어보는 연산

01 33   **02** 5   **03** 8   **04** 42
05 36   **06** 23   **07** 101   **08** 8
09 90   **10** 7   **11** 127   **12** 10

> 스스로 풀어보는 연산

13 23   **14** 8   **15** 10   **16** 11
17 53   **18** 17   **19** 58   **20** 45
21 40   **22** 4   **23** 51   **24** 7
25 70   **26** 18

> 응용 연산

27 15   **28** 50   **29** 17   **30** 3
31 <   **32** >   **33** 8   **34** 11

01 답 33

곱셈, 나눗셈을 먼저 계산한 후 덧셈, 뺄셈을 차례대로 계산합니다.

$4 \times 11 - 19 + 64 \div 8 = 44 - 19 + 64 \div 8$
$= 44 - 19 + 8$
$= 25 + 8$
$= 33$

07 답 101

괄호가 있는 경우 괄호 안에 있는 식을 먼저 계산하고 곱셈, 나눗셈을 계산한 후 덧셈, 뺄셈을 차례대로 계산합니다.

$35 + 6 \times (7 + 4) = 35 + 6 \times 11$
$= 35 + 66$
$= 101$

13 답 23

괄호가 있는 경우 괄호 안에 있는 식을 먼저 계산하고 곱셈, 나눗셈을 계산한 후 덧셈, 뺄셈을 차례대로 계산합니다.

$19 + (38 - 14) \div 6 = 19 + 24 \div 6$
$= 19 + 4$
$= 23$

15 답 10

곱셈, 나눗셈을 먼저 계산한 후 덧셈, 뺄셈을 차례대로 계산합니다.

$$\begin{aligned}4\times 6-48\div 8-8&=24-48\div 8-8\\&=24-6-8\\&=18-8\\&=10\end{aligned}$$

17 답 53

곱셈, 나눗셈을 먼저 계산한 후 덧셈, 뺄셈을 차례대로 계산합니다.

$$\begin{aligned}38\div 2\times 3-11+7&=19\times 3-11+7\\&=57-11+7\\&=46+7\\&=53\end{aligned}$$

19 답 58

괄호가 있는 경우 괄호 안에 있는 식을 먼저 계산하고 곱셈, 나눗셈을 계산한 후 덧셈, 뺄셈을 차례대로 계산합니다.

$$\begin{aligned}25+(110-11)\div 3&=25+99\div 3\\&=25+33\\&=58\end{aligned}$$

21 답 40

소괄호 안에 있는 식을 먼저 계산하고 중괄호에 있는 식을 차례대로 계산합니다.

$$\begin{aligned}10\times\{13-(63\div 7)\}&=10\times(13-9)\\&=10\times 4\\&=40\end{aligned}$$

23 답 51

소괄호 안에 있는 식을 먼저 계산하고 중괄호에 있는 식을 차례대로 계산합니다.

$$\begin{aligned}79-\{4+(5-1)\times 6\}&=79-(4+4\times 6)\\&=79-(4+24)\\&=79-28\\&=51\end{aligned}$$

25 답 70

소괄호 안에 있는 식을 먼저 계산하고 중괄호에 있는 식을 차례대로 계산합니다.

$$\begin{aligned}5\times\{(22-16)\div 3+12\}&=5\times(6\div 3+12)\\&=5\times(2+12)\\&=5\times 14\\&=70\end{aligned}$$

27 답 15

곱셈, 나눗셈을 먼저 계산한 후 덧셈, 뺄셈을 차례대로 계산합니다. 따라서 먼저 계산해야 하는 부분은 $14\div 7$입니다.

$$\begin{aligned}21+14\div 7-5-3&=21+2-5-3\\&=23-5-3\\&=18-3\\&=15\end{aligned}$$

28 답 50

소괄호 안에 있는 식을 먼저 계산하고 중괄호에 있는 식을 차례대로 계산합니다. 따라서 먼저 계산해야 하는 부분은 $16\div 8$입니다.

$$\begin{aligned}&10+\{7\times(24-16\div 8)+6\}\div 4\\&=10+\{7\times(24-2)+6\}\div 4\\&=10+(7\times 22+6)\div 4\\&=10+(154+6)\div 4\\&=10+160\div 4\\&=10+40\\&=50\end{aligned}$$

29 답 17

소괄호 안에 있는 식을 먼저 계산하고 중괄호에 있는 식을 차례대로 계산합니다.

$$\begin{aligned}\{9\times 5-(8+3)\}\div 2&=(9\times 5-11)\div 2\\&=(45-11)\div 2\\&=34\div 2\\&=17\end{aligned}$$

30 답 3

소괄호 안에 있는 식을 먼저 계산하고 중괄호에 있는 식을 차례대로 계산합니다.

$$\begin{aligned}75\div\{39-(23-16)\times 2\}&=75\div(39-7\times 2)\\&=75\div(39-14)\\&=75\div 25\\&=3\end{aligned}$$

31 답 <

$$\begin{aligned}(8\times 6)\div 3-(4+7)&=48\div 3-(4+7)\\&=48\div 3-11\\&=16-11\\&=5\end{aligned}$$

$$\begin{aligned}8\times(6\div 3)-4+7&=8\times 2-4+7\\&=16-4+7\\&=12+7\\&=19\end{aligned}$$

따라서 ○에 알맞은 것은 <입니다.

1. 자연수의 혼합 계산 **5**

32 답 >

$45 \div 5 + 4 \times 6 = 9 + 4 \times 6$
$ = 9 + 24$
$ = 33$

$45 \div (5+4) \times 6 = 45 \div 9 \times 6$
$ = 5 \times 6$
$ = 30$

따라서 ○에 알맞은 것은 >입니다.

33 답 8

계산 순서를 거꾸로 생각해 봅니다.
중괄호 안에 있는 식을 □라고 했을 때 □×2=60이므로 □=30, 즉 33−(20+4)÷□=30입니다.
다음으로 33−△=30이라고 했을 때 △=3이므로 (20+4)÷□=3입니다. 따라서 24÷□=3이므로 □=8입니다.

34 답 11

계산 순서를 거꾸로 생각해 봅니다.
중괄호 안에 있는 식을 □라고 했을 때 80−□=45이므로 □=35,
즉 63÷(□−2)×5=35입니다.
다음으로 △×5=35라고 했을 때 △=7이므로 63÷(□−2)=7입니다. 따라서 □−2=9이므로 □=11입니다.

p. 18

재미있게, 우리 연산하자!

사다리타기 결과는 다음과 같습니다.

4×8−14÷2 ⇨ ㉠
32÷4+(7−3)×5 ⇨ ㉡
(18−2×3)÷6 ⇨ ㉣
34+5×3−14÷2 ⇨ ㉢

㉠ $4 \times 8 - 14 \div 2 = 32 - 14 \div 2$
$ = 32 - 7 = 25$

㉡ $32 \div 4 + (7-3) \times 5 = 32 \div 4 + 4 \times 5$
$ = 8 + 4 \times 5 = 8 + 20 = 28$

㉢ $34 + 5 \times 3 - 14 \div 2 = 34 + 15 - 14 \div 2$
$ = 34 + 15 - 7 = 49 - 7 = 42$

㉣ $(18 - 2 \times 3) \div 6 = (18 - 6) \div 6$
$ = 12 \div 6 = 2$

답 ㉠ 25, ㉡ 28, ㉢ 42, ㉣ 2

---

2 약수와 배수

04 약수, 배수

p. 21~23

▶예제 따라 풀어보는 연산

01 1, 2, 3, 6
02 1, 2, 4, 8
03 1, 3, 5, 15
04 1, 2, 3, 4, 6, 9, 12, 18, 36
05 5, 10, 15, 20……
06 8, 16, 24, 32……
07 11, 22, 33, 44……
08 14, 28, 42, 56……
09 약수: 1, 3, 9   배수: 9, 18, 27, 36……
10 약수: 1, 2, 3, 4, 6, 12   배수: 12, 24, 36……
11 약수: 1, 2, 4, 8, 16   배수: 16, 32, 48……
12 약수: 1, 3, 7, 21   배수: 21, 42, 63……

▶스스로 풀어보는 연산

13 1, 7
14 6, 12, 18, 24……
15 1, 2, 5, 10
16 13, 26, 39, 52……
17 1, 2, 4, 7, 14, 28
18 17, 34, 51, 68……
19 1, 2, 3, 6, 7, 14, 21, 42
20 20, 40, 60, 80……
21 1, 2, 3, 4, 6, 9, 12, 18, 36
22 7, 14, 21, 28……
23 1, 2, 11, 22
24 15, 30, 45, 60……
25 1, 5, 7, 35
26 50, 100, 150, 200……

▶응용 연산

27 1, 2, 3, 6, 9, 18
28 1, 2, 4, 8, 16, 32
29 예 30   **30** 예 7   **31** 풀이 참조
32 풀이 참조
33 55
34 143

01 답 1, 2, 3, 6

6=1×6, 6=2×3이므로 6의 약수는 1, 2, 3, 6입니다.

05 답 5, 10, 15, 20……

5×1=5, 5×2=10, 5×3=15, 5×4=20……이므로 5의 배수는 5, 10, 15, 20……입니다.

27 답 1, 2, 3, 6, 9, 18

18=1×18, 18=2×9, 18=3×6
따라서 18의 약수는 1, 2, 3, 6, 9, 18입니다.

28 답 1, 2, 4, 8, 16, 32

32=1×32, 32=2×16, 32=4×8
따라서 32의 약수는 1, 2, 4, 8, 16, 32입니다.

29 답 예 30

두 수가 약수와 배수의 관계가 되려면 빈 칸에는 15의 약수 또는 15의 배수가 들어가야 합니다.
15의 약수는 1, 3, 5, 15이고 15의 배수는 15, 30, 45, 60, 75……이므로 빈 칸에 들어갈 알맞은 수는 3, 5, 15, 30, 45, 60, 75 등이 있습니다.

30 답 예 7

두 수가 약수와 배수의 관계가 되려면 빈 칸에는 49의 약수 또는 49의 배수가 들어가야 합니다.
49의 약수는 1, 7, 49이고 49의 배수는 49, 98, 147, 196……이므로 빈 칸에 들어갈 알맞은 수는 7, 49, 98, 147, 196 등이 있습니다.

31 답 풀이 참조

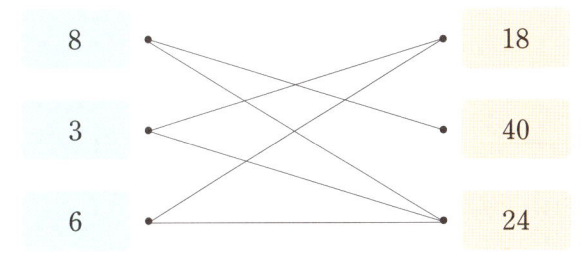

8의 배수 ⇨ 8, 16, 24, 32, 40, 48……
3의 배수 ⇨ 3, 6, 9, 12, 15, 18……
6의 배수 ⇨ 6, 12, 18, 24, 30, 36……
약수와 배수의 관계인 것을 모두 찾을 수 있도록 주의합니다.

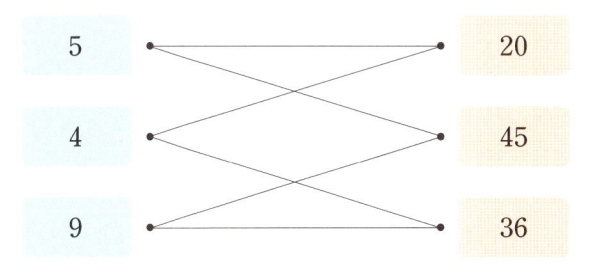

32 답 풀이 참조

5의 배수 ⇨ 5, 10, 15, 20, 25, 30, 35……
4의 배수 ⇨ 4, 8, 12, 16, 20, 24, 28, 32, 36……
9의 배수 ⇨ 9, 18, 27, 36, 45……
약수와 배수의 관계인 것을 모두 찾을 수 있도록 주의합니다.

33 답 55

5의 배수 ⇨ 5, 10, 15, 20, 25, 30, 35, 40, 45, 50, 55……
작은 수부터 차례로 썼을 때 11번째 수는 55입니다.

34 답 143

13의 배수 ⇨ 13, 26, 39, 52, 65, 78, 91, 104, 117, 130, 143…
작은 수부터 차례대로 썼을 때 11번째 수는 143입니다.

05 공약수와 최대공약수

p. 25~27

> 예제 따라 풀어보는 연산

01 12의 약수: 1, 2, 3, 4, 6, 12
　　15의 약수: 1, 3, 5, 15　공약수: 1, 3

02 18의 약수: 1, 2, 3, 6, 9, 18
　　24의 약수: 1, 2, 3, 4, 6, 8, 12, 24
　　공약수: 1, 2, 3, 6

03 13의 약수: 1, 13
　　39의 약수: 1, 3, 13, 39
　　공약수: 1, 13

04 12의 약수: 1, 2, 3, 4, 6, 12
　　30의 약수: 1, 2, 3, 5, 6, 10, 15, 30
　　공약수: 1, 2, 3, 6

05 $9=3\times3$, $45=3\times3\times5$, 9
06 $16=2\times2\times2\times2$, $32=2\times2\times2\times2\times2$, 16
07 $20=2\times2\times5$, $35=5\times7$, 5
08 $21=3\times7$, $56=2\times2\times2\times7$, 7
09 11　　**10** 14　　**11** 6　　**12** 21

> 스스로 풀어보는 연산

13 $8=2\times2\times2$, $12=2\times2\times3$, 4　**14** 4
15 $18=2\times3\times3$, $27=3\times3\times3$, 9　**16** 9
17 $20=2\times2\times5$, $32=2\times2\times2\times2\times2$, 4
18 4　　**19** $15=3\times5$, $45=3\times3\times5$, 15
20 15
21 $36=2\times2\times3\times3$, $63=3\times3\times7$, 9　**22** 9
23 $24=2\times2\times2\times3$, $42=2\times3\times7$, 6　**24** 6
25 $54=2\times3\times3\times3$, $60=2\times2\times3\times5$, 6
26 6

> 응용 연산

27 1, 2, 4, 8, 16
28 1, 2, 3, 6, 7, 14, 21, 42
29 ㉡, ㉣, ㉠, ㉢　　**30** ㉢, ㉡, ㉠, ㉣
31 ㉢　　**32** ㉡
33 최대공약수: 21　공약수: 1, 3, 7, 21
34 최대공약수: 18　공약수: 1, 2, 3, 6, 9, 18

---

10 답 14

　2) 28　42
　7) 14　21
　　　 2　 3

최대공약수는 $2\times7=14$입니다.

14 답 4

　2) 8　12
　2) 4　 6
　　　2　 3

최대공약수는 $2\times2=4$입니다.

27 답 1, 2, 4, 8, 16
어떤 두 수의 공약수는 두 수의 최대공약수의 약수와 같습니다.
16의 약수 ⇨ 1, 2, 4, 8, 16
따라서 두 수의 공약수는 1, 2, 4, 8, 16입니다.

28 답 1, 2, 3, 6, 7, 14, 21, 42
어떤 두 수의 공약수는 두 수의 최대공약수의 약수와 같습니다.
42의 약수 ⇨ 1, 2, 3, 6, 7, 14, 21, 42
따라서 두 수의 공약수는 1, 2, 3, 6, 7, 14, 21, 42입니다.

29 답 ㉡, ㉣, ㉠, ㉢
㉠ 70과 40의 최대공약수 ⇨ 10
㉡ 14와 56의 최대공약수 ⇨ 14
㉢ 36과 81의 최대공약수 ⇨ 9
㉣ 55와 22의 최대공약수 ⇨ 11
따라서 최대공약수가 큰 순서대로 쓰면 ㉡, ㉣, ㉠, ㉢입니다.

30 답 ㉢, ㉡, ㉠, ㉣
㉠ 45와 18의 최대공약수 ⇨ 9
㉡ 13과 78의 최대공약수 ⇨ 13
㉢ 60과 75의 최대공약수 ⇨ 15
㉣ 24와 64의 최대공약수 ⇨ 8
따라서 최대공약수가 큰 순서대로 쓰면 ㉢, ㉡, ㉠, ㉣입니다.

31 답 ㉢
㉠ 18과 30의 최대공약수 ⇨ 6
㉡ 42와 54의 최대공약수 ⇨ 6
㉢ 84와 63의 최대공약수 ⇨ 21
따라서 최대공약수가 다른 것은 ㉢입니다.

32 답 ㉡

㉠ 21과 28의 최대공약수 ⇨ 7
㉡ 35와 45의 최대공약수 ⇨ 5
㉢ 91과 14의 최대공약수 ⇨ 7
따라서 최대공약수가 다른 것은 ㉡입니다.

33 답 최대공약수: 21 공약수: 1, 3, 7, 21

$42=2\times3\times7$, $105=3\times5\times7$이므로
42와 105의 최대공약수는 21입니다.
어떤 두 수의 공약수는 두 수의 최대공약수의 약수와 같으므로 42와 105의 공약수는 1, 3, 7, 21입니다.

34 답 최대공약수: 18 공약수: 1, 2, 3, 6, 9, 18

$54=2\times3\times3\times3$, $90=2\times3\times3\times5$이므로
54와 90의 최대공약수는 18입니다.
어떤 두 수의 공약수는 두 수의 최대공약수의 약수와 같으므로 54와 90의 공약수는 1, 2, 3, 6, 9, 18입니다.

06 공배수와 최소공배수

p. 29~31

> 예제 따라 풀어보는 연산

01 3의 배수: 3, 6, 9, 12, 15……
4의 배수: 4, 8, 12, 16, 20……
공배수: 12, 24, 36……

02 8의 배수: 8, 16, 24, 32, 40……
12의 배수: 12, 24, 36, 48, 60……
공배수: 24, 48, 72……

03 20의 배수: 20, 40, 60, 80, 100……
25의 배수: 25, 50, 75, 100, 125……
공배수: 100, 200, 300……

04 12의 배수: 12, 24, 36, 48, 60……
36의 배수: 36, 72, 108, 144, 180……
공배수: 36, 72, 108……

05 $9=3\times3$, $15=3\times5$,
최소공배수: $3\times3\times5=45$

06 $10=2\times5$, $25=5\times5$
최소공배수: $2\times5\times5=50$

07 $8=2\times2\times2$, $14=2\times7$,
최소공배수: $2\times2\times2\times7=56$

08 $6=2\times3$, $24=2\times2\times2\times3$
최소공배수: $2\times2\times2\times3=24$

09 24 **10** 39 **11** 84 **12** 280

> 스스로 풀어보는 연산

13 $9=3\times3$, $18=2\times3\times3$, 18 **14** 18
15 $16=2\times2\times2\times2$, $24=2\times2\times2\times3$, 48
16 48 **17** $14=2\times7$, $49=7\times7$, 98
18 98
19 $25=5\times5$, $70=2\times5\times7$, 350 **20** 350
21 $52=2\times2\times13$, $65=5\times13$, 260 **22** 260
23 $36=2\times2\times3\times3$, $42=2\times3\times7$, 252
24 252
25 $45=3\times3\times5$, $72=2\times2\times2\times3\times3$, 360
26 360

> 응용 연산

27 6, 90 **28** 21, 126 **29** 12, 24, 36
30 27, 54, 81 **31** 12, 96
32 30, 90 **33** ㉣, ㉡, ㉢, ㉠
34 ㉠, ㉡, ㉢, ㉣

09 답 24

```
4 ) 4  24
     1   6
```
최소공배수는 4×6=24입니다.

14 답 18

```
3 ) 9  18
3 ) 3   6
     1   2
```
최대공약수는 3×3×2=18입니다.

27 답 6, 90

18=2×3×3
30=2×3×5
최대공약수는 2×3=6이고,
최소공배수는 2×3×3×5=90입니다.

28 답 21, 126

42=2×3×7
63=3×3×7
최대공약수는 3×7=21이고,
최소공배수는 2×3×7×3=126입니다.

29 답 12, 24, 36

두 수의 공배수는 두 수의 최소공배수의 배수와 같습니다.
12의 배수는 12, 24, 36……이므로 두 수의 공배수는 12, 24, 36입니다.

30 답 27, 54, 81

두 수의 공배수는 두 수의 최소공배수의 배수와 같습니다.
27의 배수는 27, 54, 81……이므로 두 수의 공배수는 27, 54, 81입니다.

31 답 12, 96

2와 12의 최소공배수는 12이고,
100에 가장 가까운 공배수는 12의 배수인 96입니다.

32 답 30, 90

6과 15의 최소공배수는 30이고,
100에 가장 가까운 공배수는 30의 배수인 90입니다.

33 답 ㉣, ㉡, ㉢, ㉠

㉠ 21과 49의 최소공배수 ⇨ 147
㉡ 12와 15의 최소공배수 ⇨ 60
㉢ 18과 24의 최소공배수 ⇨ 72
㉣ 10과 25의 최소공배수 ⇨ 50
따라서 최소공배수가 작은 순서는 ㉣, ㉡, ㉢, ㉠입니다.

34 답 ㉠, ㉡, ㉢, ㉣

㉠ 12와 18의 최소공배수 ⇨ 36
㉡ 28과 56의 최소공배수 ⇨ 56
㉢ 16과 36의 최소공배수 ⇨ 144
㉣ 36과 45의 최소공배수 ⇨ 180
따라서 최소공배수가 작은 순서는 ㉠, ㉡, ㉢, ㉣입니다.

재미있게, 우리 연산하자!
p. 32

6과 8의 최소공배수는 24이므로 ❶은 24입니다.
24의 약수는 1, 2, 3, 4, 6, 8, 12, 24의 8개이므로 ❷는 8입니다.
8과 18의 최대공약수는 2이므로 ❸은 2입니다.
2와 21의 최소공배수는 42이므로 ❹는 42입니다.
42와 56의 최대공약수는 14이고 14의 공약수는 1, 2, 7, 14의 4개이므로 ❺는 4입니다.
4와 6의 최소공배수는 12이므로 ❻은 12입니다.
12와 24의 최대공약수는 12이므로 ❼은 12입니다.
12의 약수는 1, 2, 3, 4, 6, 12의 6개이므로 ❽은 6입니다.
6과 20의 최소공배수는 60이므로 ❾는 60입니다.
60과 45의 최대공약수는 15이므로 ❿은 15입니다.
답 15

3. 규칙과 대응

07 두 양 사이의 관계

p. 35~37

> 예제 따라 풀어보는 연산

01 6 **02** 15 **03** 7 **04** 16
05 25 **06** 10 **07** 8 **08** 4

> 스스로 풀어보는 연산

09 예 쿠키의 수는 빵의 수의 2배입니다.
10 예 초콜릿은 젤리보다 4개 적습니다.
11 예 중학교는 초등학교보다 9개 많습니다.
12 예 닭은 병아리보다 500마리 적습니다.
13 예 색종이의 수를 8로 나누면 가위의 수와 같습니다.
14 예 안개꽃의 수는 장미꽃의 수의 3배입니다.
15 예 오징어 다리의 수를 10으로 나누면 오징어의 수와 같습니다.
16 예 버스 좌석의 수는 버스의 수의 15배입니다.

> 응용 연산

17 8, 12, 16
18 바퀴의 수는 자동차의 수의 4배입니다.
19 14, 21, 28
20 사탕의 수는 봉지의 수의 7배입니다.
21 8, 12, 16, 20
22 꼭짓점의 수는 사각형 수의 4배입니다.
23 풀이 참조   **24** 풀이 참조

01 답 6
운동화의 수는 구두의 수의 3배입니다.
따라서 □=6입니다.

05 답 25
변의 수는 오각형의 수의 5배입니다.
따라서 □=25입니다.

09 답 예 쿠키의 수는 빵의 수의 2배입니다.
빵의 수가 1개씩 늘어날수록 쿠키의 수는 2개씩 늘어납니다. 따라서 쿠키의 수는 빵의 수의 2배입니다.

13 답 예 색종이의 수를 8로 나누면 가위의 수와 같습니다.
색종이의 수가 8장씩 늘어날수록 가위의 수는 1개씩 늘어납니다. 따라서 색종이의 수를 8로 나누면 가위의 수와 같습니다.

17 답 8, 12, 16
자동차의 수가 1대씩 늘어날수록 바퀴의 수는 4개씩 늘어납니다.
따라서 자동차의 수가 2대일 때 바퀴의 수는 8개, 3대일 때 바퀴의 수는 12개, 4대일 때 바퀴의 수는 16개입니다.

18 답 바퀴의 수는 자동차의 수의 4배입니다.
'바퀴의 수를 4로 나누면 자동차의 수와 같습니다.'도 가능합니다.

19 답 14, 21, 28
봉지의 수가 1봉지씩 늘어날수록 사탕의 수는 7개씩 늘어납니다.
따라서 봉지의 수가 2봉지일 때 사탕의 수는 14개, 3봉지일 때 사탕의 수는 21개, 4봉지일 때 사탕의 수는 28개입니다.

20 답 사탕의 수는 봉지의 수의 7배입니다.
'사탕의 수를 7로 나누면 봉지의 수와 같습니다.'도 가능합니다.

21 답 8, 12, 16, 20
사각형의 수가 1개씩 늘어날수록 꼭짓점의 수는 4개씩 늘어납니다.
따라서 사각형의 수가 2개일 때 꼭짓점의 수는 8개, 3개일 때 꼭짓점의 수는 12개, 4개일 때 꼭짓점의 수는 16개, 5개일 때 꼭짓점의 수는 20개입니다.

22 답 꼭짓점의 수는 사각형 수의 4배입니다.
'꼭짓점의 수를 4로 나누면 사각형의 수와 같습니다.'도 가능합니다.

23 답 풀이 참조

사과의 수(개)	3	6	9	12	15
지불한 돈(원)	4000	8000	12000	16000	20000

3개에 4000원짜리 사과를 6개 구입할 땐 8000원, 9개 구입할 땐 12000원, 12개를 구입할 땐 16000원이 필요합니다.
따라서 은지가 20000원을 내고 구입한 사과의 수는 15개입니다.

24 답 풀이 참조

동전의 수(개)	3	6	9	12
무게(g)	15	30	45	60

100원짜리 동전 한 개의 무게가 약 5 g일 때 3개는 15 g, 6개는 30 g, 9개는 45 g, 12개는 60 g이라는 것을 알 수 있습니다.
따라서 민호의 주머니에 있는 동전 12개의 무게는 60 g입니다.

08 대응 관계를 식으로 나타내기

p. 39~41

> 예제 따라 풀어보는 연산

01 (문어 다리의 수)=(문어의 수)×8
02 (학생의 나이)=(연도)−2006
03 (삼각형의 변의 수)=(삼각형의 수)×3
04 (과자의 수)=(과자 상자의 수)×15
05 ■=▲×3　　**06** ■=▲÷2
07 ■=▲+10　　**08** ■=▲−2005

> 스스로 풀어보는 연산

09 (영미의 나이)=(동생의 나이)+7
또는 (동생의 나이)=(영미의 나이)−7
10 (펭귄의 수)=(펭귄 다리의 수)÷2
또는 (펭귄 다리의 수)=(펭귄의 수)×2
11 (자전거 바퀴의 수)=(자전거의 수)×2
또는 (자전거의 수)=(자전거 바퀴의 수)÷2
12 (우유의 수)=(우유의 가격)÷800
또는 (우유의 가격)=(우유의 수)×800
13 ♥=★×7 또는 ★=♥÷7
14 ♥=★+3 또는 ★=♥−3
15 ♥=★×4 또는 ★=♥÷4
16 ♥=★×50 또는 ★=♥÷50

> 응용 연산

17 풀이 참조　　**18** 풀이 참조
19 풀이 참조　　**20** 풀이 참조
21 풀이 참조　　**22** 풀이 참조
23 (성냥개비의 수)=(정삼각형의 수)×2+1
24 (누름 못의 수)=(도화지의 수)×2+2

01 답 (문어 다리의 수)=(문어의 수)×8
문어 다리의 수는 문어의 수에 8을 곱한 것과 같습니다.
따라서 (문어 다리의 수)=(문어의 수)×8입니다.

05 답 ■=▲×3
■와 ▲ 사이의 대응 관계를 보면 ■는 ▲의 3배입니다.
따라서 ■=▲×3입니다.

09 답 (영미의 나이)=(동생의 나이)+7
또는 (동생의 나이)=(영미의 나이)−7

영미는 동생보다 7살이 많습니다.
따라서 (영미의 나이)=(동생의 나이)+7 또는 (동생의 나이)=(영미의 나이)÷7입니다.

13 답 ♥=★×7 또는 ★=♥÷7
♥와 ★ 사이의 대응 관계를 보면 ♥는 ★의 7배입니다.
따라서 ♥=★×7 또는 ★=♥÷7입니다.

17 답 풀이 참조

아이스크림의 수(개)	1	2	3	4
아이스크림의 가격(원)	1500	3000	4500	6000

(아이스크림의 가격)=(아이스크림의 수)×1500 또는 (아이스크림의 수)=(아이스크림의 가격)÷1500입니다.

18 답 풀이 참조

승우의 나이(살)	11	12	13	14
동생의 나이(살)	6	7	8	9

승우와 동생의 나이 차는 5살입니다.
따라서 (승우의 나이)=(동생의 나이)+5 또는 (동생의 나이)=(승우의 나이)−5입니다.

19 답 풀이 참조

■	1	2	3	4	5
▲	30	60	90	120	150

▲=■×30 또는 ■=▲÷30입니다.

20 답 풀이 참조

■	2017	2018	2019	2020	2021
▲	10	11	12	13	14

▲=■−2007 또는 ■=▲+2007입니다.

21 답 풀이 참조

♥	1	2	3	4	5	6
★	4	7	10	13	16	19

★은 ♥를 세 번 곱한 값에 1을 더한 것과 같습니다.
따라서 ♥와 ★ 사이의 대응 관계는 ★=(♥×3)+1입니다.

22 답 풀이 참조

♥	4	9	16	25	36	49
★	2	3	4	5	6	7

♥는 ★을 두 번 곱한 것과 같습니다.
따라서 ♥와 ★ 사이의 대응 관계는 ♥=★×★입니다.

23 답 (성냥개비의 수)=(정삼각형의 수)×2+1
정삼각형을 1개 만들 때 필요한 성냥개비는 3개입니다. 정삼각형을 2개 만들 때에는 5개, 3개 만들 때에는 7개, 4개 만들 때에는 9개의 성냥개비가 필요합니다.
즉, 성냥개비의 수는 정삼각형의 수의 2배보다 1개 더 많다는 것을 알 수 있습니다.
따라서 정삼각형의 수와 성냥개비의 수 사이의 대응 관계를 식으로 나타내면
(성냥개비의 수)=(정삼각형의 수)×2+1입니다.

24 답 (누름 못의 수)=(도화지의 수)×2+2
도화지를 1개 붙일 때 필요한 누름 못의 수는 4개입니다. 도화지를 2개 붙일 때에는 6개, 3개 붙일 때에는 8개, 4개 붙일 때에는 10개의 누름 못이 필요합니다.
즉, 누름 못의 수는 도화지의 수의 2배보다 2개 더 많다는 것을 알 수 있습니다.
따라서 도화지의 수와 누름 못의 수 사이의 대응 관계를 식으로 나타내면
(누름 못의 수)=(도화지의 수)×2+2입니다.

p. 42

재미있게, 우리 연산하자!

●과 ★ 사이의 대응 관계를 보면 ●는 ★의 3배입니다.
따라서 ●=★×3의 대응 관계가 있습니다.
6=❶×3에서 ❶=2
❷=3×3=9
■와 ▲ 사이의 대응 관계를 보면 ■는 ▲의 2배보다 1이 작습니다. 따라서 ■=▲×2−1의 대응 관계가 있습니다.
7=❸×2−1에서 ❸=4
❹=5×2−1=9
♣와 ♥ 사이의 대응 관계를 보면 ♣는 ♥와 ♥를 곱한것과 같습니다. 따라서 ♣=♥×♥의 대응 관계가 있습니다.
16=❺×❺에서 ❺=4
❻=3×3=9
답 ❶=2, ❷=9, ❸=4, ❹=9, ❺=4, ❻=9

4. 약분과 통분

09 크기가 같은 분수

p. 45~47

> 예제 따라 풀어보는 연산

01 $\dfrac{2}{4}, \dfrac{6}{12}$

02 $\dfrac{10}{14}, \dfrac{20}{28}$

03 $\dfrac{4}{8}, \dfrac{2}{4}$

04 $\dfrac{6}{27}, \dfrac{2}{9}$

05 예 $\dfrac{10}{16}, \dfrac{15}{24}, \dfrac{20}{32}$

06 예 $\dfrac{6}{20}, \dfrac{9}{30}, \dfrac{12}{40}$

07 예 $\dfrac{16}{26}, \dfrac{24}{39}, \dfrac{32}{52}$

08 예 $\dfrac{4}{14}, \dfrac{6}{21}, \dfrac{8}{28}$

09 예 $\dfrac{6}{18}, \dfrac{4}{12}, \dfrac{3}{9}$

10 예 $\dfrac{5}{10}, \dfrac{3}{6}, \dfrac{1}{2}$

11 예 $\dfrac{4}{20}, \dfrac{2}{10}, \dfrac{1}{5}$

12 예 $\dfrac{9}{36}, \dfrac{6}{24}, \dfrac{3}{12}$

> 스스로 풀어보는 연산

13 $\dfrac{5}{6}, \dfrac{10}{12}$

14 $\dfrac{9}{15}, \dfrac{3}{5}$

15 $\dfrac{45}{50}, \dfrac{18}{20}$

16 $\dfrac{27}{63}, \dfrac{9}{21}$

17 $\dfrac{24}{64}, \dfrac{3}{8}$

18 $\dfrac{4}{9}, \dfrac{16}{36}$

19 예 $\dfrac{8}{22}, \dfrac{12}{33}, \dfrac{16}{44}$

20 예 $\dfrac{4}{30}, \dfrac{6}{45}, \dfrac{8}{60}$

21 예 $\dfrac{1}{6}, \dfrac{6}{36}, \dfrac{9}{54}$

22 예 $\dfrac{14}{40}, \dfrac{21}{60}, \dfrac{28}{80}$

23 예 $\dfrac{10}{30}, \dfrac{5}{15}, \dfrac{1}{3}$

24 예 $\dfrac{4}{16}, \dfrac{2}{8}, \dfrac{1}{4}$

25 예 $\dfrac{1}{4}, \dfrac{5}{20}, \dfrac{50}{200}$

26 예 $\dfrac{2}{9}, \dfrac{6}{27}, \dfrac{36}{162}$

> 응용 연산

27 풀이 참조 28 풀이 참조

29 (1) 풀이 참조 (2) 풀이 참조

30 (1) 풀이 참조 (2) 풀이 참조

31 $\left(\dfrac{8}{12}, \dfrac{64}{96}\right), \left(\dfrac{14}{48}, \dfrac{7}{24}\right)$

32 $\left(\dfrac{27}{81}, \dfrac{3}{9}\right), \left(\dfrac{63}{35}, \dfrac{9}{5}\right)$

33 $\dfrac{35}{40}$ 34 $\dfrac{40}{52}$

---

01 답 $\dfrac{2}{4}, \dfrac{6}{12}$

$\dfrac{2}{4} = \dfrac{1 \times 2}{2 \times 2}, \dfrac{6}{12} = \dfrac{1 \times 6}{2 \times 6}$

따라서 $\dfrac{1}{2}$과 크기가 같은 분수는 $\dfrac{2}{4}, \dfrac{6}{12}$입니다.

05 답 예 $\dfrac{10}{16}, \dfrac{15}{24}, \dfrac{20}{32}$

$\dfrac{5 \times 2}{8 \times 2} = \dfrac{10}{16}, \dfrac{5 \times 3}{8 \times 3} = \dfrac{15}{24}, \dfrac{5 \times 4}{8 \times 4} = \dfrac{20}{32}$

따라서 $\dfrac{10}{16}, \dfrac{15}{24}, \dfrac{20}{32}$은 $\dfrac{5}{8}$와 크기가 같습니다.

09 답 예 $\dfrac{6}{18}, \dfrac{4}{12}, \dfrac{3}{9}$

$\dfrac{12 \div 2}{36 \div 2} = \dfrac{6}{18}, \dfrac{12 \div 3}{36 \div 3} = \dfrac{4}{12}, \dfrac{12 \div 4}{36 \div 4} = \dfrac{3}{9}$

따라서 $\dfrac{6}{18}, \dfrac{4}{12}, \dfrac{3}{9}$은 $\dfrac{12}{36}$와 크기가 같습니다.

13 답 $\dfrac{5}{6}, \dfrac{10}{12}$

$\dfrac{20 \div 4}{24 \div 4} = \dfrac{5}{6}, \dfrac{20 \div 2}{24 \div 2} = \dfrac{10}{12}$,

따라서 $\dfrac{20}{24}$과 크기가 같은 분수는 $\dfrac{5}{6}, \dfrac{10}{12}$입니다.

25 답 예 $\dfrac{1}{4}, \dfrac{5}{20}, \dfrac{50}{200}$

$\dfrac{25 \div 25}{100 \div 25} = \dfrac{1}{4}, \dfrac{25 \div 5}{100 \div 5} = \dfrac{5}{20}, \dfrac{25 \times 2}{100 \times 2} = \dfrac{50}{200}$

따라서 $\dfrac{1}{4}, \dfrac{5}{20}, \dfrac{50}{200}$은 $\dfrac{25}{100}$와 크기가 같습니다.

26 답 예 $\dfrac{2}{9}, \dfrac{6}{27}, \dfrac{36}{162}$

$\dfrac{18 \div 9}{81 \div 9} = \dfrac{2}{9}, \dfrac{18 \div 3}{81 \div 3} = \dfrac{6}{27}, \dfrac{18 \times 2}{81 \times 2} = \dfrac{36}{162}$

따라서 $\dfrac{2}{9}, \dfrac{6}{27}, \dfrac{36}{162}$은 $\dfrac{18}{81}$과 크기가 같습니다.

27 답 풀이 참조

크기가 같은 분수를 만들 때에는 분모, 분자에 0이 아닌 같은 수를 곱하여야 합니다.

$\dfrac{5}{6} = \dfrac{5 \times 2}{6 \times 2} = \dfrac{10}{12}$

$\dfrac{5}{6} = \dfrac{5 \times 3}{6 \times 3} = \dfrac{15}{18}$

$\dfrac{5}{6} = \dfrac{5 \times 4}{6 \times 4} = \dfrac{20}{24}$

28 답 풀이 참조

크기가 같은 분수를 만들 때에는 분모, 분자를 0이 아닌 같은 수로 나누어야 합니다.

$$\frac{32}{40} = \frac{32 \div 2}{40 \div 2} = \frac{16}{20}$$

$$\frac{32}{40} = \frac{32 \div 4}{40 \div 4} = \frac{8}{10}$$

$$\frac{32}{40} = \frac{32 \div 8}{40 \div 8} = \frac{4}{5}$$

29 답 (1) 풀이 참조 (2) 풀이 참조

크기가 같은 분수를 만들 때에는 분모, 분자에 0이 아닌 같은 수를 곱하여야 합니다.

(1) $\frac{3}{7} = \frac{6}{14} = \frac{9}{21} = \frac{12}{28} = \frac{15}{35}$

(2) $\frac{9}{10} = \frac{18}{20} = \frac{27}{30} = \frac{36}{40} = \frac{45}{50}$

30 답 (1) 풀이 참조 (2) 풀이 참조

크기가 같은 분수를 만들 때에는 분모, 분자를 0이 아닌 같은 수로 나누어야 합니다.

(1) $\frac{64}{128} = \frac{32}{64} = \frac{16}{32} = \frac{4}{8} = \frac{1}{2}$

(2) $\frac{80}{176} = \frac{40}{88} = \frac{20}{44} = \frac{10}{22} = \frac{5}{11}$

31 답 $\left(\frac{8}{12}, \frac{64}{96}\right), \left(\frac{14}{48}, \frac{7}{24}\right)$

크기가 같은 분수를 찾을 때에는 분모와 분자에 0이 아닌 같은 수를 곱하거나 나누어 봅니다.

$$\frac{8}{12} = \frac{8 \times 8}{12 \times 8} = \frac{64}{96}, \frac{14}{48} = \frac{14 \div 2}{48 \div 2} = \frac{7}{24}$$

따라서 $\frac{8}{12}$과 $\frac{64}{96}$가 크기가 같고, $\frac{14}{48}$와 $\frac{7}{24}$이 크기가 같습니다.

32 답 $\left(\frac{27}{81}, \frac{3}{9}\right), \left(\frac{63}{35}, \frac{9}{5}\right)$

크기가 같은 분수를 찾을 때에는 분모와 분자에 0이 아닌 같은 수를 곱하거나 나누어 봅니다.

$$\frac{27}{81} = \frac{27 \div 9}{81 \div 9} = \frac{3}{9}, \frac{63}{35} = \frac{63 \div 7}{35 \div 7} = \frac{9}{5}$$

따라서 $\frac{27}{81}$과 $\frac{3}{9}$이 크기가 같고, $\frac{63}{35}$과 $\frac{9}{5}$가 크기가 같습니다.

33 답 $\frac{35}{40}$

분모와 분자에 0이 아닌 같은 수를 곱해 크기가 같은 분수를 찾고 합이 75가 되는 분수를 구합니다.

$$\frac{7}{8} = \frac{14}{16} = \frac{21}{24} = \frac{28}{32} = \frac{35}{40}$$

35+40=75이므로 $\frac{7}{8}$과 크기가 같으면서 분모와 분자의 합이 75인 분수는 $\frac{35}{40}$입니다.

34 답 $\frac{40}{52}$

분모와 분자에 0이 아닌 같은 수를 곱해 크기가 같은 분수를 찾고 합이 92가 되는 분수를 구합니다.

$$\frac{10}{13} = \frac{20}{26} = \frac{30}{39} = \frac{40}{52}$$

40+52=92이므로 $\frac{10}{13}$과 크기가 같으면서 분모와 분자의 합이 92인 분수는 $\frac{40}{52}$입니다.

10 약분, 통분

p. 49~51

> **예제 따라 풀어보는 연산**

01 $\dfrac{3}{15}, \dfrac{2}{10}, \dfrac{1}{5}$ 02 $\dfrac{15}{25}, \dfrac{6}{10}, \dfrac{3}{5}$

03 $\dfrac{25}{30}, \dfrac{10}{12}, \dfrac{5}{6}$ 04 $\dfrac{7}{35}, \dfrac{2}{10}, \dfrac{1}{5}$

05 $\dfrac{5}{22}, \dfrac{3}{16}$ 06 $\dfrac{3}{7}, \dfrac{8}{19}$

07 $\dfrac{49}{51}$ 08 $\dfrac{10}{11}, \dfrac{16}{21}$

09 $\dfrac{8}{96}, \dfrac{60}{96}$ 10 $\dfrac{10}{15}, \dfrac{12}{15}$

11 $\dfrac{99}{180}, \dfrac{60}{180}$ 12 $\dfrac{90}{105}, \dfrac{14}{105}$

> **스스로 풀어보는 연산**

13 $\dfrac{5}{6}$ 14 $\dfrac{3}{5}$

15 2, 3, 4, 6, 9, 12, 18, 36

16 2, 3, 4, 6, 8, 12, 24

17 $\dfrac{3}{4}, \dfrac{2}{5}$ 18 $\dfrac{4}{5}, \dfrac{1}{2}$

19 $\dfrac{36}{48}, \dfrac{28}{48}$ 20 $\dfrac{9}{12}, \dfrac{7}{12}$

21 $\dfrac{48}{90}, \dfrac{75}{90}$ 22 $\dfrac{16}{30}, \dfrac{25}{30}$

23 $\dfrac{88}{320}, \dfrac{280}{320}$ 24 $\dfrac{11}{40}, \dfrac{35}{40}$

25 $\dfrac{84}{147}, \dfrac{70}{147}$ 26 $\dfrac{12}{21}, \dfrac{10}{21}$

> **응용 연산**

27 42   28 35

29 $\dfrac{1}{2}, 3$ 30 $\dfrac{2}{3}, 5$

31 $\dfrac{1}{9}, \dfrac{2}{9}, \dfrac{4}{9}, \dfrac{5}{9}, \dfrac{7}{9}, \dfrac{8}{9}$

32 $\dfrac{1}{15}, \dfrac{2}{15}, \dfrac{4}{15}, \dfrac{7}{15}, \dfrac{8}{15}, \dfrac{11}{15}, \dfrac{13}{15}, \dfrac{14}{15}$

33 $\left(\dfrac{5}{12}, \dfrac{3}{8}\right)$

34 $\left(\dfrac{9}{25}, \dfrac{7}{10}\right)$

---

01 답 $\dfrac{3}{15}, \dfrac{2}{10}, \dfrac{1}{5}$

$\dfrac{6\div 2}{30\div 2} = \dfrac{3}{15}, \dfrac{6\div 3}{30\div 3} = \dfrac{2}{10}, \dfrac{6\div 6}{30\div 6} = \dfrac{1}{5}$

따라서 $\dfrac{6}{30}$ 을 약분하면 $\dfrac{3}{15}, \dfrac{2}{10}, \dfrac{1}{5}$ 이 됩니다.

05 답 $\dfrac{5}{22}, \dfrac{3}{16}$

$\dfrac{8}{10} = \dfrac{8\div 2}{10\div 2} = \dfrac{4}{5}, \dfrac{12}{40} = \dfrac{12\div 4}{40\div 4} = \dfrac{3}{10}$

$\dfrac{8}{10}$ 과 $\dfrac{12}{40}$ 는 약분할 수 있으므로 기약분수가 아닙니다.

$\dfrac{5}{22}$ 와 $\dfrac{3}{16}$ 는 분모와 분자의 공약수가 1뿐이므로 기약분수입니다.

09 답 $\dfrac{8}{96}, \dfrac{60}{96}$

$\dfrac{1\times 8}{12\times 8} = \dfrac{8}{96}, \dfrac{5\times 12}{8\times 12} = \dfrac{60}{96}$

따라서 $\dfrac{1}{12}, \dfrac{5}{8}$ 를 분모의 곱을 공통분모로 하여 통분하면 $\dfrac{8}{96}, \dfrac{60}{96}$ 입니다.

13 답 $\dfrac{5}{6}$

24와 20의 최대공약수는 4이므로 $\dfrac{20}{24}$ 을 기약분수로 나타내면 $\dfrac{20\div 4}{24\div 4} = \dfrac{5}{6}$ 입니다.

15 답 2, 3, 4, 6, 9, 12, 18, 36

$\dfrac{36}{72}$ 을 약분하려고 할 때 약분이 가능한 수는 36과 72의 최대공약수의 약수입니다.

따라서 36과 72의 최대공약수인 36의 약수 2, 3, 4, 6, 9, 12, 18, 36으로만 약분이 가능합니다.

16 답 2, 3, 4, 6, 8, 12, 24

$\dfrac{24}{96}$ 를 약분하려고 할 때 약분이 가능한 수는 24와 96의 최대공약수의 약수입니다.

따라서 24와 96의 최대공약수인 24의 약수 2, 3, 4, 6, 8, 12, 24로만 약분이 가능합니다.

27 답 42

$\frac{2}{3}$를 분모가 63인 분수로 나타내면 $\frac{2 \times 21}{3 \times 21} = \frac{42}{63}$ 입니다.

따라서 약분하면 $\frac{2}{3}$가 되는 분수는 $\frac{42}{63}$입니다.

28 답 35

$\frac{5}{8}$를 분모가 56인 분수로 나타내면 $\frac{5 \times 7}{8 \times 7} = \frac{35}{56}$ 입니다.

따라서 약분하면 $\frac{5}{8}$가 되는 분수는 $\frac{35}{56}$입니다.

29 답 $\frac{1}{2}$, 3

$\frac{21}{42}$을 기약분수로 나타내려면 21과 42의 최대공약수로 분모와 분자를 약분해야 합니다.
21과 42의 최대공약수인 21로 약분하면
$\frac{21 \div 21}{42 \div 21} = \frac{1}{2}$ 입니다.
따라서 분모와 분자의 합은 3입니다.

30 답 $\frac{2}{3}$, 5

$\frac{36}{54}$을 기약분수로 나타내려면 36과 54의 최대공약수로 분모와 분자를 약분해야 합니다.
36과 54의 최대공약수인 18로 약분하면
$\frac{36 \div 18}{54 \div 18} = \frac{2}{3}$ 입니다.
따라서 분모와 분자의 합은 5입니다.

31 답 $\frac{1}{9}, \frac{2}{9}, \frac{4}{9}, \frac{5}{9}, \frac{7}{9}, \frac{8}{9}$

분모가 9인 진분수 중 약분이 가능한 분수는
$\frac{3 \div 3}{9 \div 3} = \frac{1}{3}, \frac{6 \div 3}{9 \div 3} = \frac{2}{3}$ 입니다.

따라서 분모가 9인 진분수 중 기약분수는 $\frac{3}{9}, \frac{6}{9}$을 제외한 나머지 $\frac{1}{9}, \frac{2}{9}, \frac{4}{9}, \frac{5}{9}, \frac{7}{9}, \frac{8}{9}$입니다.

32 답 $\frac{1}{15}, \frac{2}{15}, \frac{4}{15}, \frac{7}{15}, \frac{8}{15}, \frac{11}{15}, \frac{13}{15}, \frac{14}{15}$

분모가 15인 진분수 중 약분이 가능한 분수는
$\frac{3 \div 3}{15 \div 3} = \frac{1}{5}, \frac{5 \div 5}{15 \div 5} = \frac{1}{3}, \frac{6 \div 3}{15 \div 3} = \frac{2}{5}$,
$\frac{9 \div 3}{15 \div 3} = \frac{3}{5}, \frac{10 \div 5}{15 \div 5} = \frac{2}{3}, \frac{12 \div 3}{15 \div 3} = \frac{4}{5}$ 입니다.

따라서 분모가 15인 진분수 중 기약분수는 $\frac{3}{15}, \frac{5}{15}, \frac{6}{15}, \frac{9}{15}, \frac{10}{15}, \frac{12}{15}$를 제외한 나머지 $\frac{1}{15}, \frac{2}{15}, \frac{4}{15}, \frac{7}{15}, \frac{8}{15}, \frac{11}{15}, \frac{13}{15}, \frac{14}{15}$입니다.

33 답 $\left(\frac{5}{12}, \frac{3}{8}\right)$

각각을 약분하여 기약분수로 나타내면
$\frac{10}{24} = \frac{5}{12}, \frac{9}{24} = \frac{3}{8}$이므로
통분하기 전의 두 분수는 $\frac{5}{12}, \frac{3}{8}$입니다.

34 답 $\left(\frac{9}{25}, \frac{7}{10}\right)$

각각을 약분하여 기약분수로 나타내면
$\frac{18}{50} = \frac{9}{25}, \frac{35}{50} = \frac{7}{10}$이므로
통분하기 전의 두 분수는 $\frac{9}{25}, \frac{7}{10}$입니다.

11 분수와 소수의 크기 비교

p. 53~55

> 예제 따라 풀어보는 연산

01 < **02** > **03** < **04** <
05 < **06** > **07** > **08** <
09 > **10** > **11** = **12** >

> 스스로 풀어보는 연산

13 15, 16, < **14** 8, 10, <
15 15, 14, > **16** 16, 5, >
17 ㉡ **18** ㉠ **19** ㉠ **20** ㉡
21 2.4 **22** $\frac{7}{9}$ **23** $1\frac{5}{6}$ **24** $\frac{15}{18}$

> 응용 연산

25 놀이터 **26** 학교 **27** 0.375 **28** $\frac{35}{81}$
29 ㉠, ㉢ **30** ㉠, ㉡
31 2.3, $1\frac{3}{4}$, 1.3, $\frac{4}{5}$
32 $2\frac{1}{4}$, 2.1, $\frac{3}{5}$, 0.27

01 답 <

$\dfrac{5\times11}{9\times11}=\dfrac{55}{99}$, $\dfrac{8\times9}{11\times9}=\dfrac{72}{99}$이므로 $\dfrac{5}{9}<\dfrac{8}{11}$입니다.

따라서 ○에 알맞은 것은 <입니다.

05 답 <

$\dfrac{3}{8}=\dfrac{9}{24}$, $\dfrac{5}{12}=\dfrac{10}{24}$이므로 $\dfrac{3}{8}<\dfrac{5}{12}$입니다.

따라서 ○에 알맞은 것은 <입니다.

09 답 >

$\dfrac{7\times125}{8\times125}=\dfrac{875}{1000}=0.875$이므로 $0.9>\dfrac{7}{8}$입니다.

따라서 ○에 알맞은 것은 >입니다.

17 답 ㉡

분모가 다른 두 분수는 최소공배수로 통분하여 분모를 같게 만든 다음 분자의 크기를 비교합니다.

㉠ $\left(1\dfrac{1}{4},\ 1\dfrac{1}{5}\right)\Rightarrow\left(\dfrac{5}{4},\ \dfrac{6}{5}\right)\Rightarrow\left(\dfrac{25}{20},\ \dfrac{24}{20}\right)$이므로 $1\dfrac{1}{4}>1\dfrac{1}{5}$입니다.

㉡ $\left(\dfrac{3}{10},\ \dfrac{5}{14}\right)\Rightarrow\left(\dfrac{21}{70},\ \dfrac{25}{70}\right)$이므로 $\dfrac{3}{10}<\dfrac{5}{14}$입니다.

따라서 크기를 바르게 비교한 것은 ㉡입니다.

19 답 ㉠

분모가 다른 두 분수는 최소공배수로 통분하여 분모를 같게 만든 다음 분자의 크기를 비교합니다.

㉠ $\left(\dfrac{7}{15},\ \dfrac{9}{20}\right)\Rightarrow\left(\dfrac{28}{60},\ \dfrac{27}{60}\right)$이므로 $\dfrac{7}{15}>\dfrac{9}{20}$입니다.

㉡ $\left(\dfrac{8}{9},\ \dfrac{10}{11}\right)\Rightarrow\left(\dfrac{88}{99},\ \dfrac{90}{99}\right)$이므로 $\dfrac{8}{9}<\dfrac{10}{11}$입니다.

따라서 크기를 바르게 비교한 것은 ㉠입니다.

21 답 2.4

2.4를 분수로 나타내면 $2.4=2\dfrac{4}{10}=2\dfrac{2}{5}$입니다.

분모가 다른 세 분수는 최소공배수로 통분하여 분모를 같게 만든 다음 분자의 크기를 비교합니다.

8, 5, 10의 최소공배수인 40으로 통분하면

$\left(2\dfrac{1}{8},\ 2\dfrac{2}{5},\ 2\dfrac{3}{10}\right)\Rightarrow\left(2\dfrac{5}{40},\ 2\dfrac{16}{40},\ 2\dfrac{12}{40}\right)$

가장 큰 분수는 $2\dfrac{2}{5}$이므로 가장 큰 수는 2.4입니다.

23 답 $1\dfrac{5}{6}$

분모가 다른 세 분수는 최소공배수로 통분하여 분모를 같게 만든 다음 분자의 크기를 비교합니다.

6, 12, 24의 최소공배수인 24로 통분하면

$\left(1\dfrac{5}{6},\ 1\dfrac{7}{12},\ \dfrac{23}{24}\right)\Rightarrow\left(1\dfrac{20}{24},\ 1\dfrac{14}{24},\ \dfrac{23}{24}\right)$

따라서 가장 큰 분수는 $1\dfrac{5}{6}$입니다.

25 답 놀이터

세 분수의 크기를 비교할 때 최소공배수가 너무 큰 경우 두 분수씩 따로 비교합니다.

$\left(\dfrac{22}{35},\ \dfrac{9}{14}\right)\Rightarrow\left(\dfrac{44}{70},\ \dfrac{45}{70}\right)\Rightarrow\dfrac{22}{35}<\dfrac{9}{14}$

$\left(\dfrac{9}{14},\ \dfrac{11}{28}\right)\Rightarrow\left(\dfrac{18}{28},\ \dfrac{11}{28}\right)\Rightarrow\dfrac{9}{14}>\dfrac{11}{28}$

$\left(\dfrac{22}{35},\ \dfrac{11}{28}\right)\Rightarrow\left(\dfrac{88}{140},\ \dfrac{55}{140}\right)\Rightarrow\dfrac{22}{35}>\dfrac{11}{28}$

가장 큰 수는 $\dfrac{9}{14}$이고 가장 작은 수는 $\dfrac{11}{28}$이므로 거리가 가장 가까운 곳은 놀이터입니다.

26 답 학교

0.7을 분수로 나타내면 $\dfrac{7}{10}$입니다.

$\dfrac{14}{18}$를 기약분수로 나타내면 $\dfrac{7}{9}$이고, $\dfrac{33}{42}$을 기약분수로 나타내면 $\dfrac{11}{14}$입니다.

세 분수의 크기를 비교할 때 최소공배수가 너무 큰 경우 두 분수씩 따로 비교합니다.

$\left(\dfrac{7}{10},\ \dfrac{7}{9}\right)\Rightarrow\left(\dfrac{63}{90},\ \dfrac{70}{90}\right)\Rightarrow\dfrac{7}{10}<\dfrac{7}{9}$

$\left(\dfrac{7}{9},\ \dfrac{11}{14}\right)\Rightarrow\left(\dfrac{98}{126},\ \dfrac{99}{126}\right)\Rightarrow\dfrac{7}{9}<\dfrac{11}{14}$

$\left(\dfrac{7}{10},\ \dfrac{11}{14}\right)\Rightarrow\left(\dfrac{49}{70},\ \dfrac{55}{70}\right)\Rightarrow\dfrac{7}{10}<\dfrac{11}{14}$

가장 큰 수는 $\dfrac{11}{14}=\dfrac{33}{42}$이고 가장 작은 수는 $\dfrac{7}{10}=0.7$이므로 거리가 가장 가까운 곳은 학교입니다.

27 답 0.375

0.375를 분수로 나타내면 $0.375=\dfrac{375}{1000}=\dfrac{3}{8}$입니다.

분모의 곱을 공통분모로 통분하려면 $14\times8=112$를 분모로 해야 합니다.

$\left(\dfrac{5}{14},\ \dfrac{3}{8}\right) \Rightarrow \left(\dfrac{40}{112},\ \dfrac{42}{112}\right)$

따라서 $\dfrac{5}{14} < 0.375$이므로 두 수 중 큰 수는 0.375 입니다.

28 답 $\dfrac{35}{81}$

최소공배수를 공통분모로 통분하려면 81과 27의 최소공배수인 81을 분모로 해야 합니다.

$\left(\dfrac{35}{81},\ \dfrac{10}{27}\right) \Rightarrow \left(\dfrac{35}{81},\ \dfrac{30}{81}\right)$

따라서 $\dfrac{35}{81} > \dfrac{10}{27}$이므로 두 수 중 큰 수는 $\dfrac{35}{81}$입니다.

29 답 ㉠, ㉢

세 분수의 크기를 비교할 때 최소공배수가 너무 큰 경우 두 분수씩 따로 계산합니다.

$\left(\dfrac{7}{10},\ \dfrac{11}{16}\right) \Rightarrow \left(\dfrac{56}{80},\ \dfrac{55}{80}\right) \Rightarrow \dfrac{7}{10} > \dfrac{11}{16}$

$\left(\dfrac{7}{10},\ \dfrac{4}{9}\right) \Rightarrow \left(\dfrac{63}{90},\ \dfrac{40}{90}\right) \Rightarrow \dfrac{7}{10} > \dfrac{4}{9}$

$\left(\dfrac{11}{16},\ \dfrac{4}{9}\right) \Rightarrow \left(\dfrac{99}{144},\ \dfrac{64}{144}\right) \Rightarrow \dfrac{11}{16} > \dfrac{4}{9}$

따라서 가장 큰 분수는 ㉠ $\dfrac{7}{10}$이고, 가장 작은 분수는 ㉢ $\dfrac{4}{9}$입니다.

30 답 ㉠, ㉢

세 분수의 크기를 비교할 때 최소공배수가 너무 큰 경우 두 분수씩 따로 계산합니다.

$\left(2\dfrac{2}{5},\ 2\dfrac{9}{24}\right) \Rightarrow \left(2\dfrac{48}{120},\ 2\dfrac{45}{120}\right) \Rightarrow 2\dfrac{2}{5} > 2\dfrac{9}{24}$

$\left(2\dfrac{2}{5},\ 2\dfrac{7}{20}\right) \Rightarrow \left(2\dfrac{8}{20},\ 2\dfrac{7}{20}\right) \Rightarrow 2\dfrac{2}{5} > 2\dfrac{7}{20}$

$\left(2\dfrac{9}{24},\ 2\dfrac{7}{20}\right) \Rightarrow \left(2\dfrac{45}{120},\ 2\dfrac{42}{120}\right) \Rightarrow 2\dfrac{9}{24} > 2\dfrac{7}{20}$

따라서 가장 큰 분수는 ㉠ $2\dfrac{2}{5}$이고, 가장 작은 분수는 ㉢ $2\dfrac{7}{20}$입니다.

31 답 $2.3,\ 1\dfrac{3}{4},\ 1.3,\ \dfrac{4}{5}$

분모를 10, 100으로 만들면 분수를 소수로 나타낼 수 있습니다.

$1\dfrac{3}{4}$을 가분수로 바꾸면 $\dfrac{7}{4}$이고 소수로 나타내기 위해 분모를 100으로 만들면 $\dfrac{175}{100}$가 되므로 1.75로 나타낼 수 있습니다.

$\dfrac{4}{5}$를 소수로 나타내기 위해 분모를 10으로 만들면 $\dfrac{8}{10}$이 되고 0.8로 나타낼 수 있습니다.

$\left(1\dfrac{3}{4},\ 2.3,\ \dfrac{4}{5},\ 1.3\right) \Rightarrow (1.75,\ 2.3,\ 0.8,\ 1.3)$

따라서 가장 큰 수부터 차례대로 나열하면 $2.3,\ 1\dfrac{3}{4},\ 1.3,\ \dfrac{4}{5}$입니다.

32 답 $2\dfrac{1}{4},\ 2.1,\ \dfrac{3}{5},\ 0.27$

분모를 10, 100으로 만들면 분수를 소수로 나타낼 수 있습니다.

$\dfrac{3}{5}$을 소수로 나타내기 위해 분모를 10으로 만들면 $\dfrac{6}{10}$이 되고 0.6으로 나타낼 수 있습니다.

$2\dfrac{1}{4}$을 가분수로 바꾸면 $\dfrac{9}{4}$이고 소수로 나타내기 위해 분모를 100으로 만들면 $\dfrac{225}{100}$가 되므로 2.25로 나타낼 수 있습니다.

$\left(0.27,\ \dfrac{3}{5},\ 2\dfrac{1}{4},\ 2.1\right) \Rightarrow (0.27,\ 0.6,\ 2.25,\ 2.1)$

따라서 가장 큰 수부터 차례대로 나열하면 $2\dfrac{1}{4},\ 2.1,\ \dfrac{3}{5},\ 0.27$입니다.

재미있게, 우리 연산하자!

$\dfrac{32}{48}$를 기약분수로 나타내면 $\dfrac{32 \div 16}{48 \div 16} = \dfrac{2}{3}$입니다.

즉, $\dfrac{32}{48}$는 $\dfrac{2}{3}$와 크기가 같고, $\dfrac{2 \times 3}{3 \times 3} = \dfrac{6}{9}$, $\dfrac{2 \times 6}{3 \times 6} = \dfrac{12}{18}$, $\dfrac{2 \times 7}{3 \times 7} = \dfrac{14}{21}$입니다.

따라서 $\dfrac{32}{48}$와 크기가 같은 분수는 $\dfrac{6}{9},\ \dfrac{12}{18},\ \dfrac{14}{21}$입니다.

$\dfrac{21}{49}$을 기약분수로 나타내면 $\dfrac{21 \div 7}{49 \div 7} = \dfrac{3}{7}$입니다.

즉, $\dfrac{21}{49}$은 $\dfrac{3}{7}$과 크기가 같고, $\dfrac{3 \times 2}{7 \times 2} = \dfrac{6}{14}$, $\dfrac{3 \times 3}{7 \times 3} = \dfrac{9}{21}$, $\dfrac{3 \times 6}{7 \times 6} = \dfrac{18}{42}$입니다.

따라서 $\dfrac{21}{49}$과 크기가 같은 분수는 $\dfrac{6}{14},\ \dfrac{9}{21},\ \dfrac{18}{42}$입니다.

답 $\dfrac{32}{48} = \left(\dfrac{6}{9},\ \dfrac{12}{18},\ \dfrac{14}{21}\right)$, $\dfrac{21}{49} = \left(\dfrac{6}{14},\ \dfrac{9}{21},\ \dfrac{18}{42}\right)$

5 ::: 분수의 덧셈과 뺄셈

12 분수의 덧셈 (1)

p. 59~61

> 예제 따라 풀어보는 연산

01 $\dfrac{11}{28}$ **02** $\dfrac{13}{22}$ **03** $\dfrac{13}{40}$ **04** $\dfrac{19}{42}$

05 $\dfrac{19}{24}$ **06** $\dfrac{7}{18}$ **07** $\dfrac{15}{16}$ **08** $\dfrac{13}{14}$

09 $4\dfrac{7}{8}$ **10** $3\dfrac{20}{21}$ **11** $3\dfrac{19}{36}$ **12** $4\dfrac{11}{30}$

> 스스로 풀어보는 연산

13 21, 21, 21 **14** 12, 12, 12, 3

15 36, 36, 36 **16** 30, 30, 30, 10

17 16, 16, 16 **18** 30, 30, 30

19 60, 60, 60 **20** 48, 48, 48

21 $3, \dfrac{15}{28}, 3\dfrac{15}{28}$ **22** $4, \dfrac{7}{12}, 4\dfrac{7}{12}$

23 $3, \dfrac{19}{24}, 3\dfrac{19}{24}$ **24** $3, \dfrac{19}{45}, 3\dfrac{19}{45}$

25 $4, \dfrac{13}{24}, 4\dfrac{13}{24}$ **26** $3, \dfrac{37}{48}, 3\dfrac{37}{48}$

> 응용 연산

27 $\dfrac{7}{10}$ **28** $\dfrac{17}{21}$ **29** > **30** >

31 $\dfrac{29}{36}$ **32** $3\dfrac{3}{5}$

33 $2\dfrac{8}{15}, 3\dfrac{4}{5}$ **34** $\dfrac{10}{21}, \dfrac{9}{14}$

---

01 답 $\dfrac{11}{28}$

$$\dfrac{1}{7}+\dfrac{1}{4}=\dfrac{4}{28}+\dfrac{7}{28}=\dfrac{11}{28}$$

05 답 $\dfrac{19}{24}$

$$\dfrac{3}{8}+\dfrac{5}{12}=\dfrac{9}{24}+\dfrac{10}{24}=\dfrac{19}{24}$$

09 답 $4\dfrac{7}{8}$

$$1\dfrac{3}{4}+3\dfrac{1}{8}=1\dfrac{6}{8}+3\dfrac{1}{8}=(1+3)+\left(\dfrac{6}{8}+\dfrac{1}{8}\right)$$
$$=4+\dfrac{7}{8}=4\dfrac{7}{8}$$

13 답 21, 21, 21

분모의 곱 또는 최소공배수로 통분하여 계산합니다.
$3 \times 7 = 21$
$$\dfrac{2}{3}+\dfrac{1}{7}=\dfrac{2\times 7}{3\times 7}+\dfrac{1\times 3}{7\times 3}=\dfrac{14}{21}+\dfrac{3}{21}=\dfrac{17}{21}$$

21 답 $3, \dfrac{15}{28}, 3\dfrac{15}{28}$

① 자연수끼리 더한 값은 $1+2=3$

② 분수끼리 더한 값은 $\dfrac{2}{7}+\dfrac{1}{4}=\dfrac{2\times 4}{7\times 4}+\dfrac{1\times 7}{4\times 7}$
$$=\dfrac{8}{28}+\dfrac{7}{28}=\dfrac{15}{28}$$

따라서 ①+②를 계산하면 $3+\dfrac{15}{28}=3\dfrac{15}{28}$ 입니다.

27 답 $\dfrac{7}{10}$

방법 ① 분모의 곱을 공통분모로 하여 통분합니다.
$$\dfrac{2}{5}+\dfrac{3}{10}=\dfrac{20}{50}+\dfrac{15}{50}=\dfrac{35}{50}=\dfrac{7}{10}$$
방법 ② 최소공배수를 공통분모로 하여 통분합니다.
$$\dfrac{2}{5}+\dfrac{3}{10}=\dfrac{4}{10}+\dfrac{3}{10}=\dfrac{7}{10}$$

28 답 $\dfrac{17}{21}$

방법 ① 분모의 곱을 공통분모로 하여 통분합니다.
$$\dfrac{5}{7}+\dfrac{2}{21}=\dfrac{105}{147}+\dfrac{14}{147}=\dfrac{119}{147}=\dfrac{17}{21}$$
방법 ② 최소공배수를 공통분모로 하여 통분합니다.
$$\dfrac{5}{7}+\dfrac{2}{21}=\dfrac{15}{21}+\dfrac{2}{21}=\dfrac{17}{21}$$

29 답 >

$$1\dfrac{7}{16}+2\dfrac{1}{4}=1\dfrac{7}{16}+2\dfrac{4}{16}$$
$$=(1+2)+\left(\dfrac{7}{16}+\dfrac{4}{16}\right)$$
$$=3+\dfrac{11}{16}=3\dfrac{11}{16}=3\dfrac{22}{32}$$

$$2\dfrac{3}{8}+1\dfrac{5}{32}=2\dfrac{12}{32}+1\dfrac{5}{32}$$
$$=(2+1)+\left(\dfrac{12}{32}+\dfrac{5}{32}\right)$$

$$=3+\frac{17}{32}=3\frac{17}{32}$$

$3\frac{11}{16}$과 $3\frac{17}{32}$을 통분하여 비교하면 $3\frac{22}{32}>3\frac{17}{32}$

따라서 ○에 알맞은 것은 >입니다.

30 답 >

$$\frac{5}{9}+1\frac{3}{10}=\frac{50}{90}+1\frac{27}{90}=1+\left(\frac{50}{90}+\frac{27}{90}\right)$$
$$=1+\frac{77}{90}=1\frac{77}{90}$$

$$\frac{8}{15}+1\frac{1}{6}=\frac{16}{30}+1\frac{5}{30}=1+\left(\frac{16}{30}+\frac{5}{30}\right)$$
$$=1+\frac{21}{30}=1\frac{21}{30}=1\frac{7}{10}=1\frac{63}{90}$$

$1\frac{77}{90}$과 $1\frac{7}{10}$을 통분하여 비교하면 $1\frac{77}{90}>1\frac{63}{90}$

따라서 ○에 알맞은 것은 >입니다.

31 답 $\frac{29}{36}$

$$\frac{2}{9}+\frac{7}{12}=\frac{8}{36}+\frac{21}{36}=\frac{29}{36}$$

32 답 $3\frac{3}{5}$

$$1\frac{4}{15}+2\frac{1}{3}=1\frac{4}{15}+2\frac{5}{15}$$
$$=(1+2)+\left(\frac{4}{15}+\frac{5}{15}\right)$$
$$=3+\frac{9}{15}=3\frac{9}{15}=3\frac{3}{5}$$

33 답 $2\frac{8}{15}, 3\frac{4}{5}$

$$1\frac{1}{3}+1\frac{1}{5}=1\frac{5}{15}+1\frac{3}{15}$$
$$=(1+1)+\left(\frac{5}{15}+\frac{3}{15}\right)$$
$$=2+\frac{8}{15}=2\frac{8}{15}$$

$$2\frac{8}{15}+1\frac{4}{15}=(2+1)+\left(\frac{8}{15}+\frac{4}{15}\right)$$
$$=3+\frac{12}{15}=3\frac{12}{15}=3\frac{4}{5}$$

34 답 $\frac{10}{21}, \frac{9}{14}$

$$\frac{2}{7}+\frac{4}{21}=\frac{6}{21}+\frac{4}{21}=\frac{10}{21}$$
$$\frac{10}{21}+\frac{1}{6}=\frac{20}{42}+\frac{7}{42}=\frac{27}{42}=\frac{9}{14}$$

13 분수의 덧셈 (2)

p. 63~65

> 예제 따라 풀어보는 연산

01 $1\frac{13}{30}$ **02** $1\frac{33}{56}$ **03** $1\frac{3}{20}$ **04** $1\frac{65}{84}$

05 $1\frac{7}{36}$ **06** $1\frac{2}{3}$ **07** $1\frac{5}{12}$ **08** $1\frac{37}{54}$

09 $3\frac{9}{35}$ **10** $3\frac{13}{40}$ **11** $5\frac{5}{18}$ **12** $6\frac{3}{14}$

> 스스로 풀어보는 연산

13 $1\frac{31}{35}$ **14** $1\frac{11}{30}$ **15** $1\frac{17}{36}$ **16** $1\frac{67}{70}$

17 $1\frac{7}{48}$ **18** $1\frac{1}{56}$ **19** $1\frac{1}{48}$ **20** $1\frac{47}{50}$

21 $3\frac{1}{12}$ **22** $6\frac{4}{15}$ **23** $5\frac{53}{90}$ **24** $4\frac{8}{45}$

25 $7, 1\frac{7}{24}, 8\frac{7}{24}$ **26** $4, 1\frac{5}{9}, 5\frac{5}{9}$

> 응용 연산

27 >   **28** >   **29** $4\frac{7}{15}$ **30** $5\frac{19}{70}$

31 $1\frac{23}{56}$ **32** $4\frac{13}{48}$

33 $1\frac{8}{9}, 2\frac{29}{36}$ **34** $3\frac{11}{36}, 3\frac{151}{180}$

01 답 $1\frac{13}{30}$

$$\frac{5}{6}+\frac{3}{5}=\frac{25}{30}+\frac{18}{30}=\frac{43}{30}=1\frac{13}{30}$$

05 답 $1\frac{7}{36}$

$$\frac{7}{9}+\frac{5}{12}=\frac{28}{36}+\frac{15}{36}=\frac{43}{36}=1\frac{7}{36}$$

09 답 $3\frac{9}{35}$

$$1\frac{2}{5}+1\frac{6}{7}=\frac{7}{5}+\frac{13}{7}=\frac{49}{35}+\frac{65}{35}=\frac{114}{35}=3\frac{9}{35}$$

13 답 $1\frac{31}{35}$

분모의 곱을 공통분모로 통분하여 계산합니다.
$5\times 7=35$

$$\frac{3}{5}+\frac{9}{7}=\frac{3\times 7}{5\times 7}+\frac{9\times 5}{7\times 5}=\frac{21}{35}+\frac{45}{35}$$
$$=\frac{66}{35}=1\frac{31}{35}$$

5. 분수의 덧셈과 뺄셈 **21**

17 답 $1\frac{7}{48}$

최소공배수를 공통분모로 통분하여 계산합니다.
12와 16의 최소공배수 ⇨ 48
$$\frac{7}{12}+\frac{9}{16}=\frac{7\times 4}{12\times 4}+\frac{9\times 3}{16\times 3}$$
$$=\frac{28}{48}+\frac{27}{38}=\frac{55}{48}=1\frac{7}{48}$$

21 답 $3\frac{1}{12}$

가분수로 고쳐서 통분하여 계산합니다.
$$1\frac{5}{6}+1\frac{1}{4}=\frac{11}{6}+\frac{5}{4}=\frac{22}{12}+\frac{15}{12}=\frac{37}{12}=3\frac{1}{12}$$

25 답 $7,\ 1\frac{7}{24},\ 8\frac{7}{24}$

① 자연수끼리 더한 값은 $4+3=7$
② 분수끼리 더한 값은
$$\frac{5}{12}+\frac{7}{8}=\frac{5\times 2}{12\times 2}+\frac{7\times 3}{8\times 3}$$
$$=\frac{10}{24}+\frac{21}{24}=\frac{31}{24}=1\frac{7}{24}$$

따라서 ①+②를 계산하면 $7+1\frac{7}{24}=8\frac{7}{24}$ 입니다.

27 답 >

$3\frac{1}{2}+1\frac{7}{9}=3\frac{9}{18}+1\frac{14}{18}$
$=(3+1)+\left(\frac{9}{18}+\frac{14}{18}\right)$
$=4+\frac{23}{18}=4+1\frac{5}{18}=5\frac{5}{18}$

$2\frac{1}{4}+1\frac{9}{10}=2\frac{5}{20}+1\frac{18}{20}$
$=(2+1)+\left(\frac{5}{20}+\frac{18}{20}\right)$
$=3+\frac{23}{20}=3+1\frac{3}{20}=4\frac{3}{20}$

따라서 $5\frac{5}{18}>4\frac{3}{20}$ 이므로 ○에 알맞은 것은 > 입니다.

28 답 >

$1\frac{9}{16}+2\frac{3}{4}=1\frac{9}{16}+2\frac{12}{16}$
$=(1+2)+\left(\frac{9}{16}+\frac{12}{16}\right)$
$=3+\frac{21}{16}=3+1\frac{5}{16}=4\frac{5}{16}$

$1\frac{5}{6}+2\frac{3}{7}=1\frac{35}{42}+2\frac{18}{42}$
$=(1+2)+\left(\frac{35}{42}+\frac{18}{42}\right)$
$=3+\frac{53}{42}=3+1\frac{11}{42}=4\frac{11}{42}$

$4\frac{5}{16}$ 와 $4\frac{11}{42}$ 을 통분하여 비교하면
$4\frac{105}{336}>4\frac{88}{336}$
따라서 ○에 알맞은 것은 > 입니다.

29 답 $4\frac{7}{15}$

가장 큰 분수를 구하려면 $2\frac{6}{11}$ 과 $2\frac{2}{3}$ 를 통분하여 비교합니다.
$\left(2\frac{6}{11},\ 2\frac{2}{3}\right) \Rightarrow \left(2\frac{18}{33},\ 2\frac{22}{33}\right) \Rightarrow 2\frac{18}{33}<2\frac{22}{33}$

가장 큰 분수는 $2\frac{2}{3}$ 이고,
가장 작은 분수는 $1\frac{4}{5}$ 입니다.
따라서 가장 큰 분수와 가장 작은 분수의 합은
$2\frac{2}{3}+1\frac{4}{5}=2\frac{10}{15}+1\frac{12}{15}$
$=(2+1)+\left(\frac{10}{15}+\frac{12}{15}\right)$
$=3+\frac{22}{15}=3+1\frac{7}{15}=4\frac{7}{15}$

30 답 $5\frac{19}{70}$

가장 큰 분수는 $3\frac{7}{10}$ 입니다.
가장 작은 분수를 구하려면 $1\frac{9}{14}$ 와 $1\frac{4}{7}$ 를 통분하여 비교합니다.
$\left(1\frac{9}{14},\ 1\frac{4}{7}\right) \Rightarrow \left(1\frac{9}{14},\ 1\frac{8}{14}\right) \Rightarrow 1\frac{9}{14}>1\frac{8}{14}$

가장 작은 분수는 $1\frac{4}{7}$ 입니다.
따라서 가장 큰 분수와 가장 작은 분수의 합은
$3\frac{7}{10}+1\frac{4}{7}=3\frac{49}{70}+1\frac{40}{70}$
$=(3+1)+\left(\frac{49}{70}+\frac{40}{70}\right)$
$=4+\frac{89}{70}=4+1\frac{19}{70}=5\frac{19}{70}$

31 답 $1\frac{23}{56}$

$\frac{5}{8}+\frac{11}{14}=\frac{35}{56}+\frac{44}{56}=\frac{79}{56}=1\frac{23}{56}$

32 답 $4\frac{13}{48}$

$2\frac{11}{16}+1\frac{7}{12}=2\frac{33}{48}+1\frac{28}{48}$
$\phantom{2\frac{11}{16}+1\frac{7}{12}}=(2+1)+\left(\frac{33}{48}+\frac{28}{48}\right)$
$\phantom{2\frac{11}{16}+1\frac{7}{12}}=3+\frac{61}{48}=3+1\frac{13}{48}=4\frac{13}{48}$

33 답 $1\frac{8}{9}$, $2\frac{29}{36}$

$1\frac{1}{3}+\frac{5}{9}=1\frac{3}{9}+\frac{5}{9}=1+\left(\frac{3}{9}+\frac{5}{9}\right)=1+\frac{8}{9}=1\frac{8}{9}$

$1\frac{8}{9}+\frac{11}{12}=1\frac{32}{36}+\frac{33}{36}=1+\left(\frac{32}{36}+\frac{33}{36}\right)$
$\phantom{1\frac{8}{9}+\frac{11}{12}}=1+\frac{65}{36}=1+1\frac{29}{36}=2\frac{29}{36}$

34 답 $3\frac{11}{36}$, $3\frac{151}{180}$

$1\frac{17}{36}+1\frac{5}{6}=1\frac{17}{36}+1\frac{30}{36}$
$\phantom{1\frac{17}{36}+1\frac{5}{6}}=(1+1)+\left(\frac{17}{36}+\frac{30}{36}\right)$
$\phantom{1\frac{17}{36}+1\frac{5}{6}}=2+\frac{47}{36}=2+1\frac{11}{36}=3\frac{11}{36}$

$3\frac{11}{36}+\frac{8}{15}=3\frac{55}{180}+\frac{96}{180}$
$\phantom{3\frac{11}{36}+\frac{8}{15}}=3+\left(\frac{55}{180}+\frac{96}{180}\right)$
$\phantom{3\frac{11}{36}+\frac{8}{15}}=3+\frac{151}{180}=3\frac{151}{180}$

14 분수의 뺄셈 (1)

p. 67~69

> 예제 따라 풀어보는 연산

01 $\frac{5}{14}$ **02** $\frac{1}{30}$ **03** $\frac{1}{15}$ **04** $\frac{31}{72}$

05 $\frac{3}{20}$ **06** $\frac{1}{24}$ **07** $\frac{1}{2}$ **08** $\frac{13}{30}$

09 $\frac{11}{21}$ **10** $1\frac{11}{20}$ **11** $\frac{11}{18}$ **12** $\frac{7}{60}$

> 스스로 풀어보는 연산

13 9, 9, 9   **14** 16, 16, 16
15 10, 10, 10, 2   **16** 24, 24, 24
17 34, 34, 34   **18** 60, 60, 60
19 42, 42, 42   **20** 50, 50, 50
21 1, $\frac{7}{15}$, $1\frac{7}{15}$ **22** 1, $\frac{9}{28}$, $1\frac{9}{28}$
23 2, $\frac{17}{45}$, $2\frac{17}{45}$ **24** 1, $\frac{11}{15}$, $1\frac{11}{15}$
25 2, $\frac{23}{36}$, $2\frac{23}{36}$ **26** 2, $\frac{1}{60}$, $2\frac{1}{60}$

> 응용 연산

27 $\frac{1}{12}$ **28** $\frac{1}{2}$ **29** >   **30** >
31 $\frac{4}{45}$ **32** $5\frac{1}{8}$

33 (위에서부터) $3\frac{7}{24}$, $1\frac{5}{18}$, $2\frac{1}{8}$, $\frac{1}{9}$

34 (위에서부터) $1\frac{3}{14}$, $2\frac{1}{6}$, $5\frac{1}{7}$, $6\frac{2}{21}$

01 답 $\frac{5}{14}$

$\frac{1}{2}-\frac{1}{7}=\frac{7}{14}-\frac{2}{14}=\frac{5}{14}$

05 답 $\frac{3}{20}$

$\frac{1}{4}-\frac{1}{10}=\frac{5}{20}-\frac{2}{20}=\frac{3}{20}$

09 답 $\frac{11}{21}$

$1\frac{6}{7}-1\frac{1}{3}=1\frac{18}{21}-1\frac{7}{21}$
$\phantom{1\frac{6}{7}-1\frac{1}{3}}=(1-1)+\left(\frac{18}{21}-\frac{7}{21}\right)=\frac{11}{21}$

13 답 9, 9, 9

$$\frac{1}{3}-\frac{1}{9}=\frac{1\times3}{3\times3}-\frac{1\times1}{9\times1}=\frac{3}{9}-\frac{1}{9}=\frac{2}{9}$$

21 답 $1, \frac{7}{15}, 1\frac{7}{15}$

① 자연수끼리 뺀 값은 $2-1=1$
② 분수끼리 뺀 값은 $\frac{4}{5}-\frac{1}{3}=\frac{12}{15}-\frac{5}{15}=\frac{7}{15}$
①+② $=1+\frac{7}{15}=1\frac{7}{15}$

27 답 $\frac{1}{12}$

방법 ① 분모의 곱을 공통분모로 하여 통분합니다.
$$\frac{1}{2}-\frac{5}{12}=\frac{12}{24}-\frac{10}{24}=\frac{2}{24}=\frac{1}{12}$$
방법 ② 최소공배수를 공통분모로 하여 통분합니다.
$$\frac{1}{2}-\frac{5}{12}=\frac{6}{12}-\frac{5}{12}=\frac{1}{12}$$

28 답 $\frac{1}{2}$

방법 ① 분모의 곱을 공통분모로 하여 통분합니다.
$$\frac{4}{5}-\frac{3}{10}=\frac{40}{50}-\frac{15}{50}=\frac{25}{50}=\frac{1}{2}$$
방법 ② 최소공배수를 공통분모로 하여 통분합니다.
$$\frac{4}{5}-\frac{3}{10}=\frac{8}{10}-\frac{3}{10}=\frac{5}{10}=\frac{1}{2}$$

29 답 >

$$3\frac{3}{4}-1\frac{4}{9}=3\frac{27}{36}-1\frac{16}{36}$$
$$=(3-1)+\left(\frac{27}{36}-\frac{16}{36}\right)$$
$$=2+\frac{11}{36}=2\frac{11}{36}$$

$$6\frac{1}{4}-4\frac{1}{6}=6\frac{3}{12}-4\frac{2}{12}$$
$$=(6-4)+\left(\frac{3}{12}-\frac{2}{12}\right)$$
$$=2+\frac{1}{12}=2\frac{1}{12}=2\frac{3}{36}$$

$2\frac{11}{36}$과 $2\frac{1}{12}$을 통분하여 비교하면 $2\frac{11}{36}>2\frac{3}{36}$이므로 ○ 안에 알맞은 것은 >입니다.

30 답 >

$$4\frac{7}{8}-1\frac{1}{4}=4\frac{7}{8}-1\frac{2}{8}=(4-1)+\left(\frac{7}{8}-\frac{2}{8}\right)$$
$$=3+\frac{5}{8}=3\frac{5}{8}=3\frac{10}{16}$$

$$5\frac{9}{16}-2\frac{3}{8}=5\frac{9}{16}-2\frac{6}{16}$$
$$=(5-2)+\left(\frac{9}{16}-\frac{6}{16}\right)$$
$$=3+\frac{3}{16}=3\frac{3}{16}$$

$3\frac{5}{8}$와 $3\frac{3}{16}$을 통분하여 비교하면 $3\frac{10}{16}>3\frac{3}{16}$이므로 ○ 안에 알맞은 것은 >입니다.

31 답 $\frac{4}{45}$

$$2\frac{5}{9}-2\frac{7}{15}=2\frac{25}{45}-2\frac{21}{45}$$
$$=(2-2)+\left(\frac{25}{45}-\frac{21}{45}\right)=\frac{4}{45}$$

32 답 $5\frac{1}{8}$

$$6\frac{5}{8}-1\frac{1}{2}=6\frac{5}{8}-1\frac{4}{8}=(6-1)+\left(\frac{5}{8}-\frac{4}{8}\right)$$
$$=5+\frac{1}{8}=5\frac{1}{8}$$

33 답 (위에서부터) $3\frac{7}{24}, 1\frac{5}{18}, 2\frac{1}{8}, \frac{1}{9}$

$$4\frac{5}{8}-1\frac{1}{3}=4\frac{15}{24}-1\frac{8}{24}$$
$$=(4-1)+\left(\frac{15}{24}-\frac{8}{24}\right)$$
$$=3+\frac{7}{24}=3\frac{7}{24}$$

$$2\frac{1}{2}-1\frac{2}{9}=2\frac{9}{18}-1\frac{4}{18}$$
$$=(2-1)+\left(\frac{9}{18}-\frac{4}{18}\right)$$
$$=1+\frac{5}{18}=1\frac{5}{18}$$

$$4\frac{5}{8}-2\frac{1}{2}=4\frac{5}{8}-2\frac{4}{8}=(4-2)+\left(\frac{5}{8}-\frac{4}{8}\right)$$
$$=2+\frac{1}{8}=2\frac{1}{8}$$

$$1\frac{1}{3}-1\frac{2}{9}=1\frac{3}{9}-1\frac{2}{9}$$
$$=(1-1)+\left(\frac{3}{9}-\frac{2}{9}\right)=\frac{1}{9}$$

34 답 (위에서부터) $1\frac{3}{14}, 2\frac{1}{6}, 5\frac{1}{7}, 6\frac{2}{21}$

$$12\frac{9}{14}-11\frac{3}{7}=12\frac{9}{14}-11\frac{6}{14}$$
$$=(12-11)+\left(\frac{9}{14}-\frac{6}{14}\right)$$

$$=1+\frac{3}{14}=1\frac{3}{14}$$

$$7\frac{1}{2}-5\frac{1}{3}=7\frac{3}{6}-5\frac{2}{6}$$
$$=(7-5)+\left(\frac{3}{6}-\frac{2}{6}\right)$$
$$=2+\frac{1}{6}=2\frac{1}{6}$$

$$12\frac{9}{14}-7\frac{1}{2}=12\frac{9}{14}-7\frac{7}{14}$$
$$=(12-7)+\left(\frac{9}{14}-\frac{7}{14}\right)$$
$$=5+\frac{2}{14}=5\frac{2}{14}=5\frac{1}{7}$$

$$11\frac{3}{7}-5\frac{1}{3}=11\frac{9}{21}-5\frac{7}{21}$$
$$=(11-5)+\left(\frac{9}{21}-\frac{7}{21}\right)$$
$$=6+\frac{2}{21}=6\frac{2}{21}$$

15 분수의 뺄셈 (2)

p. 71~73

> 예제 따라 풀어보는 연산

01 $1\frac{4}{9}$ **02** $2\frac{1}{2}$ **03** $1\frac{1}{2}$ **04** $1\frac{37}{60}$

05 $1\frac{5}{8}$ **06** $2\frac{11}{14}$ **07** $1\frac{5}{6}$ **08** $1\frac{25}{28}$

09 $1\frac{9}{10}$ **10** $1\frac{15}{16}$ **11** $2\frac{17}{30}$ **12** $2\frac{1}{2}$

> 스스로 풀어보는 연산

13 $1\frac{9}{20}$ **14** $1\frac{21}{40}$ **15** $\frac{46}{63}$ **16** $\frac{10}{39}$

17 $\frac{9}{10}$ **18** $\frac{2}{9}$ **19** $\frac{13}{21}$ **20** $\frac{7}{10}$

21 $\frac{11}{30}$ **22** $\frac{11}{24}$ **23** $3\frac{27}{40}$ **24** $5\frac{19}{36}$

25 $\frac{25}{36}$ **26** $1\frac{35}{48}$

> 응용 연산

27 $\frac{11}{12}$ **28** $3\frac{11}{20}$ **29** $2\frac{23}{32}$ **30** $\frac{34}{35}$

31 $9\frac{2}{9}$, $5\frac{29}{36}$ **32** $5\frac{4}{15}$, $2\frac{29}{30}$

33 ㉠, ㉡, ㉣, ㉢ **34** ㉡, ㉠, ㉢, ㉣

01 답 $1\frac{4}{9}$

$$4\frac{1}{9}-2\frac{2}{3}=4\frac{1}{9}-2\frac{6}{9}=3\frac{10}{9}-2\frac{6}{9}$$
$$=(3-2)+\left(\frac{10}{9}-\frac{6}{9}\right)$$
$$=1+\frac{4}{9}=1\frac{4}{9}$$

07 답 $1\frac{5}{6}$

$$3\frac{1}{6}-1\frac{1}{3}=\frac{19}{6}-\frac{4}{3}=\frac{19}{6}-\frac{8}{6}=\frac{11}{6}=1\frac{5}{6}$$

13 답 $1\frac{9}{20}$

자연수는 자연수끼리, 분수는 분수끼리 빼서 계산합니다.

$$3\frac{1}{5}-1\frac{3}{4}=3\frac{4}{20}-1\frac{15}{20}=2\frac{24}{20}-1\frac{15}{20}$$
$$=(2-1)+\left(\frac{24}{20}-\frac{15}{20}\right)$$
$$=1+\frac{9}{20}=1\frac{9}{20}$$

17 답 $\dfrac{9}{10}$

두 분수를 가분수로 고친 다음 분모의 곱 또는 최소공배수를 공통분모로 통분하여 계산합니다.

$1\dfrac{1}{2}-\dfrac{3}{5}=\dfrac{3}{2}-\dfrac{3}{5}=\dfrac{15}{10}-\dfrac{6}{10}=\dfrac{9}{10}$

23 답 $3\dfrac{27}{40}$

자연수는 자연수끼리, 분수는 분수끼리 빼서 계산합니다.

$6\dfrac{1}{8}-2\dfrac{9}{20}=6\dfrac{5}{40}-2\dfrac{18}{40}=5\dfrac{45}{40}-2\dfrac{18}{40}$
$=(5-2)+\left(\dfrac{45}{40}-\dfrac{18}{40}\right)$
$=3+\dfrac{27}{40}=3\dfrac{27}{40}$

25 답 $\dfrac{25}{36}$

앞에서부터 차례로 계산합니다.

$1\dfrac{2}{3}-\dfrac{2}{9}=1\dfrac{6}{9}-\dfrac{2}{9}=1\dfrac{4}{9}$

$1\dfrac{4}{9}-\dfrac{3}{4}=1\dfrac{16}{36}-\dfrac{27}{36}=\dfrac{52}{36}-\dfrac{27}{36}=\dfrac{25}{36}$

27 답 $\dfrac{11}{12}$

$\left(3\dfrac{3}{4}\text{보다 }2\dfrac{5}{6}\text{ 작은 수}\right)=3\dfrac{3}{4}-2\dfrac{5}{6}$
$=3\dfrac{9}{12}-2\dfrac{10}{12}$
$=2\dfrac{21}{12}-2\dfrac{10}{12}$
$=(2-2)+\left(\dfrac{21}{12}-\dfrac{10}{12}\right)$
$=\dfrac{11}{12}$

28 답 $3\dfrac{11}{20}$

$\left(7\dfrac{1}{4}\text{보다 }3\dfrac{7}{10}\text{ 작은 수}\right)=7\dfrac{1}{4}-3\dfrac{7}{10}$
$=7\dfrac{5}{20}-3\dfrac{14}{20}$
$=6\dfrac{25}{20}-3\dfrac{14}{20}$
$=(6-3)+\left(\dfrac{25}{20}-\dfrac{14}{20}\right)$
$=3+\dfrac{11}{20}=3\dfrac{11}{20}$

29 답 $2\dfrac{23}{32}$

$5\dfrac{11}{32}-2\dfrac{5}{8}=5\dfrac{11}{32}-2\dfrac{20}{32}=4\dfrac{43}{32}-2\dfrac{20}{32}$
$=(4-2)+\left(\dfrac{43}{32}-\dfrac{20}{32}\right)$
$=2+\dfrac{23}{32}=2\dfrac{23}{32}$

30 답 $\dfrac{34}{35}$

$2\dfrac{4}{7}-1\dfrac{3}{5}=2\dfrac{20}{35}-1\dfrac{21}{35}=1\dfrac{55}{35}-1\dfrac{21}{35}$
$=(1-1)+\left(\dfrac{55}{35}-\dfrac{21}{35}\right)=\dfrac{34}{35}$

31 답 $9\dfrac{2}{9},\ 5\dfrac{29}{36}$

$10\dfrac{2}{3}-1\dfrac{4}{9}=10\dfrac{6}{9}-1\dfrac{4}{9}=(10-1)+\left(\dfrac{6}{9}-\dfrac{4}{9}\right)$
$=9+\dfrac{2}{9}=9\dfrac{2}{9}$

$9\dfrac{2}{9}-3\dfrac{5}{12}=9\dfrac{8}{36}-3\dfrac{15}{36}=8\dfrac{44}{36}-3\dfrac{15}{36}$
$=(8-3)+\left(\dfrac{44}{36}-\dfrac{15}{36}\right)$
$=5+\dfrac{29}{36}=5\dfrac{29}{36}$

32 답 $5\dfrac{4}{15},\ 2\dfrac{29}{30}$

$7\dfrac{4}{5}-2\dfrac{8}{15}=7\dfrac{12}{15}-2\dfrac{8}{15}$
$=(7-2)+\left(\dfrac{12}{15}-\dfrac{8}{15}\right)$
$=5+\dfrac{4}{15}=5\dfrac{4}{15}$

$5\dfrac{4}{15}-2\dfrac{3}{10}=5\dfrac{16}{60}-2\dfrac{18}{60}=4\dfrac{76}{60}-2\dfrac{18}{60}$
$=(4-2)+\left(\dfrac{76}{60}-\dfrac{18}{60}\right)$
$=2+\dfrac{58}{60}=2\dfrac{58}{60}=2\dfrac{29}{30}$

33 답 ㉠, ㉡, ㉢, ㉣

㉠ $6\dfrac{7}{16}-1\dfrac{1}{4}=6\dfrac{7}{16}-1\dfrac{4}{16}$
$=(6-1)+\left(\dfrac{7}{16}-\dfrac{4}{16}\right)$
$=5+\dfrac{3}{16}=5\dfrac{3}{16}$

㉡ $7\dfrac{1}{3}-2\dfrac{2}{5}=7\dfrac{5}{15}-2\dfrac{6}{15}=6\dfrac{20}{15}-2\dfrac{6}{15}$

$$=(6-2)+\left(\frac{20}{15}-\frac{6}{15}\right)$$
$$=4+\frac{14}{15}=4\frac{14}{15}$$

ⓒ $5\frac{1}{8}-1\frac{7}{12}=5\frac{3}{24}-1\frac{14}{24}=4\frac{27}{24}-1\frac{14}{24}$
$$=(4-1)+\left(\frac{27}{24}-\frac{14}{24}\right)$$
$$=3+\frac{13}{24}=3\frac{13}{24}$$

ⓔ $5\frac{4}{15}-\frac{5}{6}=5\frac{8}{30}-\frac{25}{30}=4\frac{38}{30}-\frac{25}{30}$
$$=4+\left(\frac{38}{30}-\frac{25}{30}\right)=4+\frac{13}{30}=4\frac{13}{30}$$

계산 결과가 가장 큰 것은 ⓐ이고 계산 결과가 가장 작은 것은 ⓒ입니다. ⓑ과 ⓔ을 통분하여 크기를 비교합니다.
$$\left(4\frac{14}{15},\ 4\frac{13}{30}\right)\Rightarrow\left(4\frac{28}{30},\ 4\frac{13}{30}\right)\Rightarrow 4\frac{14}{15}>4\frac{13}{30}$$
따라서 계산 결과가 가장 큰 것부터 차례대로 나열하면 ⓐ, ⓑ, ⓔ, ⓒ입니다.

34 답 ⓑ, ⓐ, ⓒ, ⓔ

ⓐ $3\frac{4}{7}-1\frac{1}{3}=3\frac{12}{21}-1\frac{7}{21}$
$$=(3-1)+\left(\frac{12}{21}-\frac{7}{21}\right)$$
$$=2+\frac{5}{21}=2\frac{5}{21}$$

ⓑ $5\frac{4}{5}-2\frac{1}{2}=5\frac{8}{10}-2\frac{5}{10}$
$$=(5-2)+\left(\frac{8}{10}-\frac{5}{10}\right)$$
$$=3+\frac{3}{10}=3\frac{3}{10}$$

ⓒ $3\frac{1}{4}-1\frac{5}{18}=3\frac{9}{36}-1\frac{10}{36}=2\frac{45}{36}-1\frac{10}{36}$
$$=(2-1)+\left(\frac{45}{36}-\frac{10}{36}\right)$$
$$=1+\frac{35}{36}=1\frac{35}{36}$$

ⓔ $2\frac{5}{6}-\frac{8}{9}=2\frac{15}{18}-\frac{16}{18}=1\frac{33}{18}-\frac{16}{18}$
$$=1+\left(\frac{33}{18}-\frac{16}{18}\right)=1+\frac{17}{18}=1\frac{17}{18}$$

계산 결과가 가장 큰 것은 ⓑ이고 그 다음 큰 것은 ⓐ입니다.
ⓒ과 ⓔ을 통분하여 크기를 비교합니다.
$$\left(1\frac{35}{36},\ 1\frac{17}{18}\right)\Rightarrow\left(1\frac{35}{36},\ 1\frac{34}{36}\right)\Rightarrow 1\frac{35}{36}>1\frac{17}{18}$$
따라서 계산 결과가 가장 큰 것부터 차례대로 나열하면 ⓑ, ⓐ, ⓒ, ⓔ입니다.

재미있게, 우리 연산하자! p.74

사다리타기 결과는 다음과 같습니다.

$\frac{13}{4}+2\frac{2}{3}$ ⇒ ⓐ

$5\frac{3}{8}-\frac{19}{6}$ ⇒ ⓔ

$\frac{3}{10}+7\frac{1}{2}$ ⇒ ⓑ

$\frac{34}{5}-3\frac{1}{12}$ ⇒ ⓒ

ⓐ $\frac{13}{4}+2\frac{2}{3}=\frac{13}{4}+\frac{8}{3}=\frac{39}{12}+\frac{32}{12}=\frac{71}{12}=5\frac{11}{12}$

ⓑ $\frac{3}{10}+7\frac{1}{2}=\frac{3}{10}+\frac{15}{2}=\frac{3}{10}+\frac{75}{10}$
$$=\frac{78}{10}=7\frac{8}{10}=7\frac{4}{5}$$

ⓒ $\frac{34}{5}-3\frac{1}{12}=6\frac{4}{5}-3\frac{1}{12}=6\frac{48}{60}-3\frac{5}{60}$
$$=(6-3)+\left(\frac{48}{60}-\frac{5}{60}\right)$$
$$=3\frac{43}{60}$$

ⓔ $5\frac{3}{8}-\frac{19}{6}=5\frac{3}{8}-3\frac{1}{6}=5\frac{9}{24}-3\frac{4}{24}$
$$=(5-3)+\left(\frac{9}{24}-\frac{4}{24}\right)$$
$$=2\frac{5}{24}$$

답 ⓐ $5\frac{11}{12}$, ⓑ $7\frac{4}{5}$, ⓒ $3\frac{43}{60}$, ⓔ $2\frac{5}{24}$

6. 다각형의 둘레와 넓이

16 다각형의 둘레

p. 77~79

> 예제 따라 풀어보는 연산

01 20 cm　02 25 cm　03 30 cm　04 35 cm
05 26 cm　06 16 cm　07 22 cm　08 12 cm

> 스스로 풀어보는 연산

09 28 cm　10 40 cm　11 54 cm　12 70 cm
13 20 cm　14 28 cm　15 32 cm　16 40 cm
17 22 cm　18 32 cm　19 20 cm　20 32 cm

> 응용 연산

21 12　22 10　23 2　24 7
25 4　26 6　27 14 cm　28 32 cm

01 답 20 cm
정다각형의 둘레는 (한 변의 길이)×(변의 수)입니다.
따라서 정사각형의 둘레는 5×4=20(cm)입니다.

05 답 26 cm
직사각형의 둘레는 {(가로)+(세로)}×2입니다.
따라서 직사각형의 둘레는 (7+6)×2=26(cm)입니다.

09 답 28 cm
정다각형의 둘레는 (한 변의 길이)×(변의 수)입니다.
따라서 정사각형의 둘레는 7×4=28(cm)입니다.

17 답 22 cm
평행사변형의 둘레는
{(한 변의 길이)+(다른 한 변의 길이)}×2입니다.
따라서 평행사변형의 둘레는 (7+4)×2=22(cm)입니다.

19 답 20 cm
마름모의 둘레는 (한 변의 길이)×4입니다.
따라서 마름모의 둘레는 5×4=20(cm)입니다.

21 답 12
□=(정오각형의 둘레)÷5=60÷5=12(cm)
따라서 정오각형의 한 변의 길이는 12 cm입니다.

22 답 10
□=(정육각형의 둘레)÷6=60÷6=10(cm)
따라서 정육각형의 한 변의 길이는 10 cm입니다.

23 답 2
직사각형의 둘레는 {(가로)+(세로)}×2입니다.
{8+(세로)}×2=20, 8+(세로)=10
따라서 세로의 길이는 2 cm입니다.

24 답 7
직사각형의 둘레는 {(가로)+(세로)}×2입니다.
{(가로)+3}×2=20, (가로)+3=10
따라서 가로의 길이는 7 cm입니다.

25 답 4
평행사변형의 둘레는
{(한 변의 길이)+(다른 한 변의 길이)}×2입니다.
{(한 변의 길이)+8}×2=24,
(한 변의 길이)+8=12
따라서 한 변의 길이는 4 cm입니다.

26 답 6
마름모의 둘레는 (한 변의 길이)×4입니다.
(한 변의 길이)×4=24이므로 한 변의 길이는 6 cm입니다.

27 답 14 cm
도형의 둘레는 가로 4 cm, 세로 3 cm인 직사각형의 둘레와 같습니다.
(4+3)×2=14
즉, 도형의 둘레는 14 cm입니다.

28 답 32 cm
도형의 둘레는 가로 9 cm, 세로 7 cm인 직사각형의 둘레와 같습니다.
(9+7)×2=32
즉, 도형의 둘레는 32 cm입니다.

17 넓이의 단위

p. 81~83

> 예제 따라 풀어보는 연산

01 50000　　**02** 200000　　**03** 4　　**04** 25
05 3000000　　　　　　**06** 12000000
07 6　　**08** 15　　**09** 12 cm²
10 21 cm²　　**11** 36 m²　　**12** 28 km²

> 스스로 풀어보는 연산

13 300000　　**14** 50　　**15** 42
16 350000　　**17** 21000000
18 32000000　　**19** 35　　**20** 6
21 240000　　**22** 160000　　**23** 63000000
24 30000000

> 응용 연산

25 나　　**26** 다　　**27** 풀이 참조
28 풀이 참조　　**29** 8배　　**30** 11배
31 30 m²　　**32** 48 m²

---

01 답 50000
1 m²=10000 cm²이므로 5 m²=50000 cm²입니다.

05 답 3000000
1 km²=1000000 m²이므로 3 km²=3000000 m²입니다.

09 답 12 cm²
색칠한 도형의 넓이는 넓이가 1 cm²인 정사각형이 12개이므로 12 cm²입니다.

13 답 300000
1 m²=10000 cm²이므로 30 m²=300000 cm²입니다.

21 답 240000
도형의 넓이는 넓이가 1 m²인 정사각형이 24개이므로 24 m²입니다. 1 m²=10000 cm²이므로 넓이는 240000 cm²입니다.

23 답 63000000
도형의 넓이는 넓이가 1 km²인 정사각형이 63개이므로 63 km²입니다. 1 km²=1000000 m²이므로 넓이는 63000000 m²입니다.

25 답 나
넓이가 1 cm²인 정사각형이 가는 4번, 나는 9번, 다는 6번, 라는 5번 들어가므로 넓이가 가장 넓은 도형은 나입니다.

26 답 다
넓이가 1 m²인 정사각형이 가는 5번, 나는 8번, 다는 9번, 라는 6번 들어가므로 넓이가 가장 넓은 도형은 다입니다.

27 답 풀이 참조

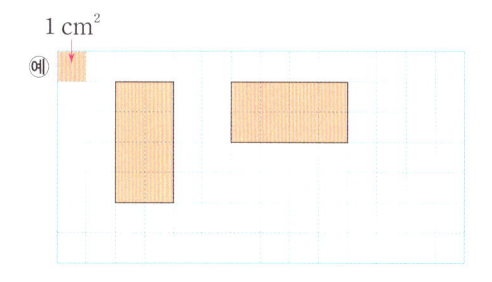

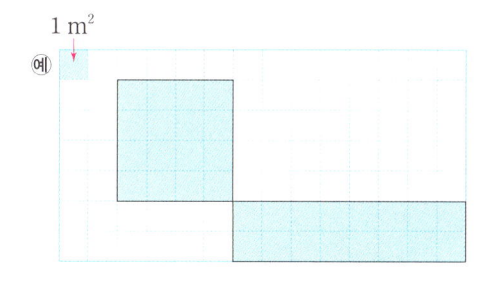

28 답 풀이 참조

29 답 8배
도형의 넓이는 넓이가 1 m²인 정사각형이 8번 들어가므로 8배라고 할 수 있습니다.

30 답 11배
도형의 넓이는 넓이가 1 m²인 정사각형이 11번 들어가므로 11배라고 할 수 있습니다.

31 답 30 m²
600 cm=6 m이므로 다음 도형은 가로가 5 m, 세로가 6 m인 직사각형입니다.
따라서 넓이의 단위인 1 m²가 5×6=30(번) 들어가므로 도형의 넓이는 30 m²입니다.

32 답 48 m²
800 cm=8 m이므로 다음 도형은 가로가 8 m, 세로가 6 m인 직사각형입니다.
따라서 넓이의 단위인 1 m²가 8×6=48(번) 들어가므로 도형의 넓이는 48 m²입니다.

18 직사각형의 넓이

p. 85~87

> **예제 따라 풀어보는 연산**

01 $10\,cm^2$ **02** $21\,cm^2$ **03** $72\,cm^2$
04 $200\,cm^2$ **05** $64\,cm^2$ **06** $121\,cm^2$
07 $196\,cm^2$ **08** $625\,cm^2$

> **스스로 풀어보는 연산**

09 $60\,cm^2$ **10** $12\,cm^2$ **11** $60\,cm^2$
12 $108\,cm^2$ **13** $98\,cm^2$ **14** $90\,cm^2$
15 $49\,cm^2$ **16** $81\,cm^2$ **17** $100\,cm^2$
18 $144\,cm^2$ **19** $256\,cm^2$ **20** $900\,cm^2$

> **응용 연산**

21 9 **22** 12 **23** 8 cm
24 13 cm **25** $140\,cm^2$ **26** $208\,cm^2$
27 $224\,cm^2$ **28** $459\,m^2$

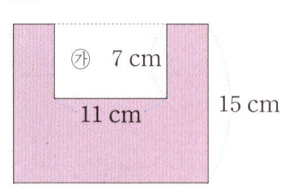

---

01 답 $10\,cm^2$

직사각형의 넓이는 (가로)×(세로)이므로 도형의 넓이는 $2\times 5=10(cm^2)$입니다.

05 답 $64\,cm^2$

정사각형의 넓이는 (한 변의 길이)×(한 변의 길이)이므로 도형의 넓이는 $8\times 8=64(cm^2)$입니다.

09 답 $60\,cm^2$

직사각형의 넓이는 (가로)×(세로)이므로 도형의 넓이는 $10\times 6=60(cm^2)$입니다.

15 답 $49\,cm^2$

정사각형의 넓이는 (한 변의 길이)×(한 변의 길이)이므로 도형의 넓이는 $7\times 7=49(cm^2)$입니다.

21 답 9

직사각형의 넓이는 (가로)×(세로)입니다.
따라서 $6\times\square=54$이므로 $\square$는 9입니다.

22 답 12

직사각형의 넓이는 (가로)×(세로)입니다.
따라서 $\square\times 14=168$이므로 $\square$는 12입니다.

23 답 8 cm

정사각형의 넓이는 (한 변의 길이)×(한 변의 길이)입니다.
따라서 $\square\times\square=64$이므로 $\square$는 8입니다.

24 답 13 cm

정사각형의 넓이는 (한 변의 길이)×(한 변의 길이)입니다.
따라서 $\square\times\square=169$이므로 $\square$는 13입니다.

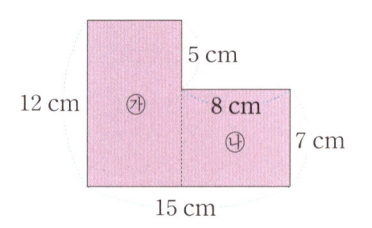

25 답 $140\,cm^2$

㉮의 가로는 $15-8=7(cm)$이고 세로는 12 cm이므로 ㉮의 넓이는 $7\times 12=84(cm^2)$입니다.
㉯의 가로는 8 cm이고 세로는 7 cm이므로
㉯의 넓이는 $8\times 7=56(cm^2)$입니다.
(도형의 넓이)=(㉮의 넓이)+(㉯의 넓이)
$=84+56=140(cm^2)$

26 답 $208\,cm^2$

전체 직사각형의 넓이는 $19\times 15=285(cm^2)$입니다.
㉮의 가로가 11 cm, 세로가 7 cm이므로
㉮의 넓이는 $11\times 7=77(cm^2)$입니다.
(도형의 넓이)=(직사각형의 넓이)−(㉮의 넓이)
$=285-77$
$=208(cm^2)$

27 답 $224\,cm^2$

색칠한 부분을 모으면 가로는 $22-6=16(cm)$, 세로는 14 cm인 직사각형이 됩니다.
따라서 색칠한 부분의 넓이는
$16\times 14=224(cm^2)$입니다.

28 답 $459\,m^2$

색칠한 부분을 모으면 가로는 $30-3=27(m)$, 세로는 $20-3=17(m)$인 직사각형이 됩니다.
따라서 색칠한 부분의 넓이는
$27\times 17=459(m^2)$입니다.

19 평행사변형과 삼각형의 넓이

p. 89~91

> 예제 따라 풀어보는 연산

01 21 cm²　**02** 54 cm²　**03** 44 cm²
04 75 cm²　**05** 24 cm²　**06** 25 cm²
07 18 cm²　**08** 72 cm²

> 스스로 풀어보는 연산

09 15 cm²　**10** 48 cm²　**11** 90 cm²
12 77 cm²　**13** 120 cm²　**14** 108 cm²
15 16 cm²　**16** 9 cm²　**17** 28 cm²
18 54 cm²　**19** 70 cm²　**20** 130 cm²

> 응용 연산

21 6　　　**22** 18　　**23** 풀이 참조
24 풀이 참조　**25** 18　**26** 22
27 풀이 참조　**28** 풀이 참조

01 답 21 cm²
평행사변형의 넓이는 (밑변의 길이)×(높이)이므로 도형의 넓이는 7×3=21(cm²)입니다.

05 답 24 cm²
삼각형의 넓이는 (밑변의 길이)×(높이)÷2이므로 도형의 넓이는 8×6÷2=24(cm²)입니다.

09 답 15 cm²
평행사변형의 넓이는 (밑변의 길이)×(높이)이므로 도형의 넓이는 5×3=15(cm²)입니다.

15 답 16 cm²
삼각형의 넓이는 (밑변의 길이)×(높이)÷2이므로 도형의 넓이는 8×4÷2=16(cm²)입니다.

21 답 6
평행사변형의 넓이는 (밑변의 길이)×(높이)입니다.
따라서 17×□=102이므로 □는 6입니다.

22 답 18
평행사변형의 넓이는 (밑변의 길이)×(높이)입니다.
따라서 □×11=198이므로 □는 18입니다.

23 답 풀이 참조

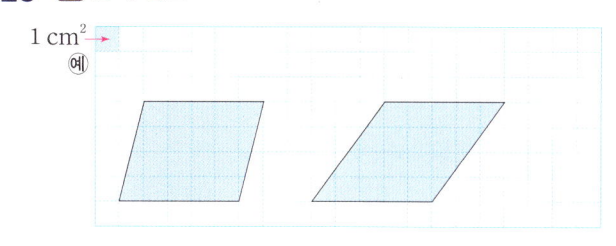

24 답 풀이 참조

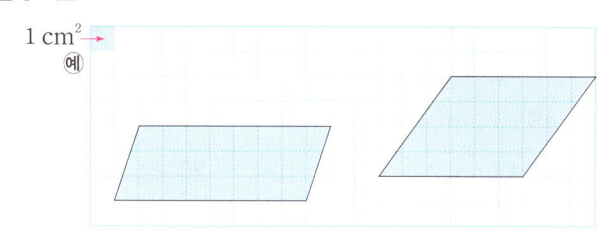

25 답 18
삼각형의 넓이는 (밑변의 길이)×(높이)÷2입니다.
따라서 14×□÷2=126이므로 □는 18입니다.

26 답 22
삼각형의 넓이는 (밑변의 길이)×(높이)÷2입니다.
□×15÷2=165이므로 □는 22입니다.

27 답 풀이 참조

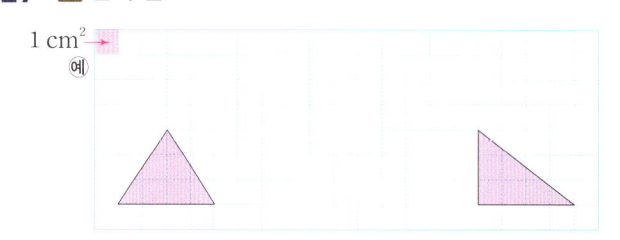

28 답 풀이 참조

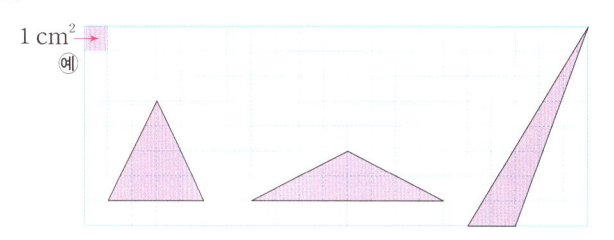

20 마름모와 사다리꼴의 넓이

p. 93~95

> **예제 따라 풀어보는 연산**
>
> **01** 20 cm² **02** 21 cm² **03** 50 cm²
> **04** 75 cm² **05** 45 cm² **06** 32 cm²
> **07** 98 cm² **08** 22 cm²
>
> **스스로 풀어보는 연산**
>
> **09** 45 cm² **10** 15 cm² **11** 45 cm²
> **12** 45 cm² **13** 32 cm² **14** 70 cm²
> **15** 20 cm² **16** 63 cm² **17** 18 cm²
> **18** 40 cm² **19** 14 cm² **20** 72 cm²
>
> **응용 연산**
>
> **21** 10 **22** 12 **23** 8
> **24** 10 **25** 120 cm² **26** 74 cm²
> **27** ㉡ **28** ㉡

01 답 20 cm²

사다리꼴의 넓이는
{(윗변의 길이)+(아랫변의 길이)}×(높이)÷2이므로
넓이는 (3+7)×4÷2=20(cm²)입니다.

05 답 45 cm²

마름모의 넓이는
(한 대각선의 길이)×(다른 대각선의 길이)÷2이므로
넓이는 10×9÷2=45(cm²)입니다.

09 답 45 cm²

사다리꼴의 넓이는
{(윗변의 길이)+(아랫변의 길이)}×(높이)÷2이므로
넓이는 (6+9)×6÷2=45(cm²)입니다.

15 답 20 cm²

마름모의 넓이는
(한 대각선의 길이)×(다른 대각선의 길이)÷2이므로
넓이는 8×5÷2=20(cm²)입니다.

21 답 10

(2+6)×□÷2=40이므로 □는 10입니다.

22 답 12

(3+9)×□÷2=72이므로 □는 12입니다.

23 답 8

6×□÷2=24이므로 □는 8입니다.

24 답 10

11×□÷2=55이므로 □는 10입니다.

25 답 120 cm²

색칠한 부분을 모으면 윗변은 13-3=10(cm),
아랫변은 17-3=14(cm)인 사다리꼴이 됩니다.
따라서 색칠한 부분의 넓이는
(10+14)×10÷2=120(cm²)입니다.

26 답 74 cm²

색칠한 부분의 넓이는 사다리꼴 넓이에서 삼각형의
넓이를 뺀 것과 같습니다.
사다리꼴의 넓이는 (12+8)×9÷2=90(cm²)이고
삼각형의 넓이는 8×4÷2=16(cm²)이므로 색칠한
부분의 넓이는 90-16=74(cm²)입니다.

27 답 ㉡

직사각형 넓이는 마름모 넓이의 절반에 해당하므로
(24×16÷2)÷2=96(cm²)이고
사다리꼴의 넓이는
(11+15)×9÷2=117(cm²)입니다.
따라서 사다리꼴의 넓이가 더 넓습니다.

28 답 ㉡

마름모의 넓이는 15×8÷2=60(cm²)이고
평행사변형의 넓이는 7×9=63(cm²)입니다.
따라서 평행사변형의 넓이가 더 넓습니다.

p. 96

재미있게, 우리 연산하자!

한 변의 길이가 4인 정사각형의 넓이는 4×4=16입니다.
밑변이 6, 높이가 2인 평행사변형의 넓이는
6×2=12입니다.
두 밑변이 3, 5이고 높이가 3인 사다리꼴의 넓이는
(3+5)×3÷2=8×3÷2=24÷2=12입니다.
따라서 아저씨의 밭은 수박밭입니다.

답 수박밭

풍산자

개념 x 연산

초등 수학 5-1

풍산자 라인업

중학 풍산자로 개념과 문제를 꼼꼼히 풀면 성적이 지속적으로 향상됩니다

상위권으로의 도약을 위한 중학 풍산자 로드맵

원리 개념서 → **기초 반복 훈련서** → **실전 평가 테스트** → **실전 문제 유형서**

- 풍산자 개념완성
- 풍산자 반복수학
- 풍산자 테스트북
- 풍산자 필수유형

중학 풍산자 교재	하	중하	중	상
원리 개념서 **풍산자 개념완성** #강남구청 인터넷수능방송 강의교재	필수 문제로 개념 정복, 개념 학습 완성 (하~상)			
기초 반복훈련서 **풍산자 반복수학**	개념 및 기본 연산 정복, 기초 실력 완성 (하~중)			
실전평가 테스트 **풍산자 테스트북**		단원별 엄선 문제, 실력 점검 및 실전 대비 (중하~중)		
실전 문제유형서 **풍산자 필수유형** #강남구청 인터넷수능방송 강의교재		모든 기출 유형 정복, 시험 준비 완료 (중하~상)		

긴 글은 빠르게! 어려운 글은 쉽게!

독해력 자신감

지학사

모든 지문을 읽어 내는 독해 기술
초등학교 국어교과서를 연구하여 선별한 단계별 6가지 기술로 모든 지문을 빠르고 쉽게 읽어 내는 독해력이 생깁니다.

전 과목 공부가 되는 지문 구성
다수의 현장 교사가 영역별 교과 지식을 주제로 지문을 구성하여 전 과목 학업 성적이 올라갑니다.

체계적인 학습을 돕는 해설
본책의 전 지문을 해설에 수록하고, 주제, 중심 문장과 낱말, 문단별 요약 등을 자세히 분석하고 풀어내어 체계적인 학습 및 지도가 가능합니다.

독해력 자신감 미리 보고 듣기!

'독해력 자신감' 저자에게 듣는 초등 독해 이야기
현직 초등 교사이자 '독해력 자신감'의 저자 두 분이 직접 들려주시는 교재의 특징과 활용법을 보고 독해 학습에 활용해 보세요!

독해력을 올리는 '지문듣기' 서비스
비문학 지문은 아나운서의 정확한 발음으로, 문학 지문은 성우의 다채로운 표현으로 지문을 들어 보세요!
*3단계 20회차 지문 샘플입니다.